#홈스쿨링
#혼자공부하기

똑똑한 하루 글쓰기

Chunjae
Makes
Chunjae

▼

[똑똑한 하루 글쓰기] 5B

기획총괄 박진영
편집개발 전종현, 이재인, 김민숙, 백경민, 박지윤, 김효진, 박지영
디자인총괄 김희정
표지디자인 윤순미, 김지현
내지디자인 박희춘, 배미현
제작 황성진, 조규영

발행일 2021년 12월 15일 초판 2021년 12월 15일 1쇄
발행인 (주)천재교육
주소 서울시 금천구 가산로9길 54
신고번호 제2001-000018호
고객센터 1577-0902

※ 정답 분실 시에는 천재교육 교재 홈페이지에서 내려받으세요.
※ KC 마크는 이 제품이 공통안전기준에 적합하였음을 의미합니다.
※ 주의
책 모서리에 다칠 수 있으니 주의하시기 바랍니다.
부주의로 인한 사고의 경우 책임지지 않습니다.
8세 미만의 어린이는 부모님의 관리가 필요합니다.

똑똑한 하루 글쓰기

5단계 B 스케줄표

공부했으면 빈칸에 체크(v)해 줘!

1주
연설문을 써 보자!

일	쪽	내용
1일	8~17쪽 □	처음 부분 쓰기
2일	18~23쪽 □	가운데 부분 쓰기
3일	24~29쪽 □	끝부분 쓰기
4일	30~35쪽 □	연설문 쓰기 ①
5일	36~41쪽 □	연설문 쓰기 ②
특강	42~49쪽 □	창의·융합·코딩 + 누구나 100점 테스트

매주 1일에는 이번 주에 무엇을 배울지도 함께 살펴보자.

2주
조사 보고서를 써 보자!

일	쪽	내용
1일	50~59쪽 □	날짜, 대상, 방법, 목적 쓰기
2일	60~65쪽 □	조사 내용 쓰기 ①
3일	66~71쪽 □	조사 내용 쓰기 ②
4일	72~77쪽 □	생각이나 느낀 점 쓰기
5일	78~83쪽 □	조사 보고서 쓰기
특강	84~91쪽 □	창의·융합·코딩 + 누구나 100점 테스트

한 주 끝! 하루하루 꾸준히 하자!

3주
글의 종류를 바꾸어 써 보자!

일	쪽	내용
1일	92~101쪽 □	이야기를 희곡으로 바꾸어 쓰기
2일	102~107쪽 □	희곡을 이야기로 바꾸어 쓰기
3일	108~113쪽 □	시를 이야기로 바꾸어 쓰기
4일	114~119쪽 □	이야기를 시로 바꾸어 쓰기
5일	120~125쪽 □	이야기를 만화로 바꾸어 쓰기
특강	126~133쪽 □	창의·융합·코딩 + 누구나 100점 테스트

4주
학급 문집을 써 보자!

일	쪽	내용
1일	134~143쪽 □	한 학년을 마치며 떠오르는 감상 쓰기
2일	144~149쪽 □	인상 깊었던 일로 시 쓰기
3일	150~155쪽 □	현장 체험학습을 기사로 쓰기
4일	156~161쪽 □	친구에게 편지 쓰기
5일	162~167쪽 □	미래 일기 쓰기
특강	168~175쪽 □	창의·융합·코딩 + 누구나 100점 테스트

대단해! 꾸준히 공부해서 한 권을 끝냈구나.

5단계 B 공부할 내용 한눈에 보기!

1주 연설문을 써 보자!

2주 조사 보고서를 써 보자!

3주 글의 종류를 바꾸어 써 보자!

4주 학급 문집을 써 보자!

똑똑한 하루 글쓰기를 함께 할 친구들을 소개합니다.

바밤별에서 글쓰기를 배우러 온 외계인 친구 밤톨! 엉뚱발랄한 달래와 잘난 척 왕자 기찬을 만나 함께 공부하며 글쓰기 실력이 쑥쑥 자라고 있대요.

글쓰기 공부를 도와주는 글봇과 말하는 판다 판판도 글쓰기 공부를 함께 할 거예요.
글쓰기 채널을 운영하는 뚝뚝TV 뚝뚝이와 술술TV 술술이도 기억해 주세요.

글쓰기, 어떻게 시작할까요?

똑똑한 글쓰기 질문 하나!

글쓰기 공부 왜 필요할까요?

자신의 생각을 표현하는 수단이자 모든 학습의 바탕이 되는 활동이 바로 글쓰기예요. 특히 배운 내용을 정리하고, 이해한 것을 글로 풀어내는 글쓰기 능력은 모든 과목 학습 성취에 큰 영향을 끼친답니다.

똑똑한 글쓰기 질문 둘!

계속되는 글쓰기 공부의 실패 원인은 무엇일까요?

글쓰기를 시작하는 순간부터 아이들은 무엇을 써야 할지, 어떻게 표현할지, 어떻게 고쳐야 자연스러울지 등 많은 고민을 하게 되고, 이를 힘들어한답니다. 이렇게 복잡하고 어려운 글쓰기 과정이 익숙해지지 않았을 때 "이것 한번 써 보렴." 하고 과제를 주면 돌아오는 대답은 "엄마, 글쓰기가 싫어요!"일 수밖에 없을 거예요. 그래서 『똑똑한 하루 글쓰기』는 아이들이 차츰 글쓰기에 익숙해지고 재미를 붙여 나갈 수 있도록 만들었답니다.

똑똑한 글쓰기 질문 셋!

글쓰기 공부 어떻게 시작해야 할까요?

쉽고 재미있는 『똑똑한 하루 글쓰기』로 시작해 보세요. 만화와 게임 형식의 문제로 글쓰기 개념을 익히고, 낱말 쓰기부터 한 편 쓰기까지 단계별로 글쓰기를 연습할 수 있어요. 그리고 고쳐쓰기를 통해 문법 실력을 키우고, 내 생각 쓰기로 마무리하며 창의적 글쓰기까지 연습할 수 있답니다. 하루하루 꾸준히 공부해서 한 권을 끝내면 글쓰기 실력과 함께 자신감도 쑥쑥 자랄 거예요.

똑똑한 하루 글쓰기로 똑똑해지자!

똑똑한 하루 글쓰기!

왜 똑똑한 하루 글쓰기일까요?

1 **10분**이면 **하루 글쓰기 끝!** 쉽고 재미있는 글쓰기 공부!

2 교과 학습 과정을 반영한 **갈래별 글쓰기!** 매주 다양한 갈래로 즐거운 학습!

3 **단계별 글쓰기**로 글쓰기 실력 향상! 낱말 쓰기부터 한 편 쓰기까지!

4 **고쳐쓰기**로 기초 실력 다지기! 어휘력과 문법 실력도 쑥쑥!

5 **창의・융합・코딩**으로 사고력 넓히기! 생활 어휘부터 코딩 학습까지!

한 주 동안 공부할 내용을 만화로 미리 살펴보고, 한 주의 글쓰기 개념을 만화와 문제로 확인합니다.

똑똑한 하루 글쓰기 코스

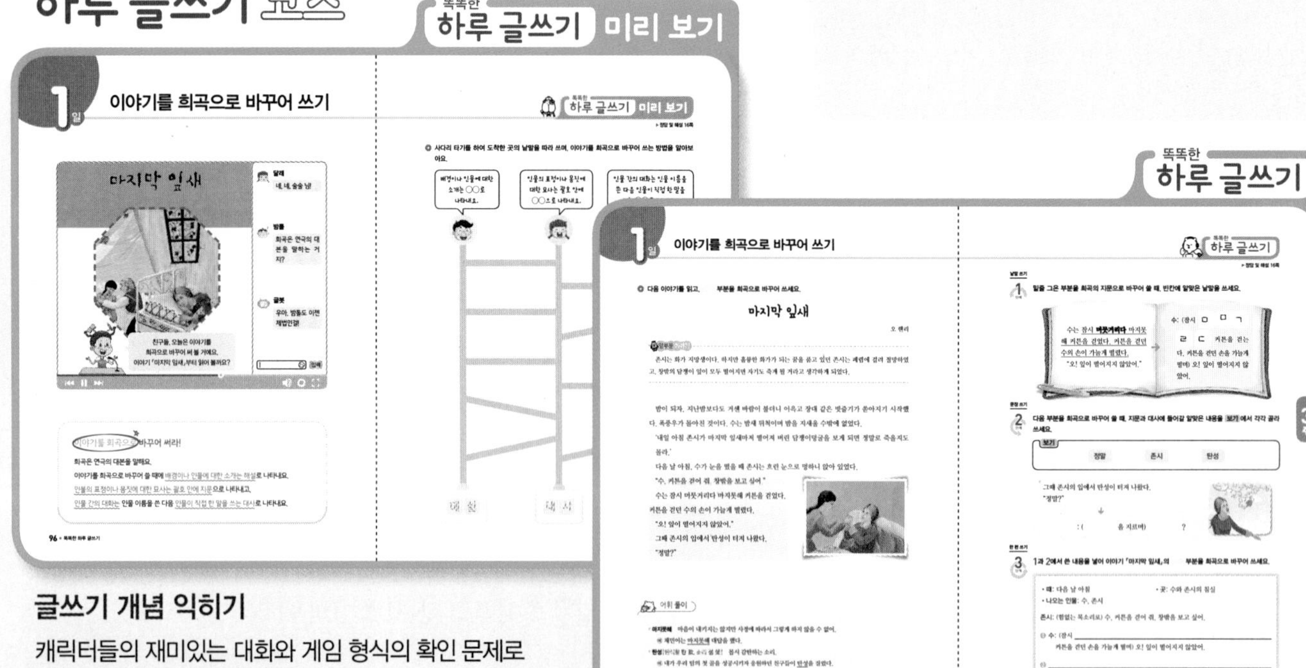

글쓰기 개념 익히기

캐릭터들의 재미있는 대화와 게임 형식의 확인 문제로 핵심 글쓰기 개념을 익힙니다.

단계별 글쓰기

다양한 글쓰기 상황을 살펴보고, '낱말 쓰기 → 문장 쓰기 → 한 편 쓰기'를 단계별로 학습하며 쉽고 재미있게 글쓰기를 연습합니다.

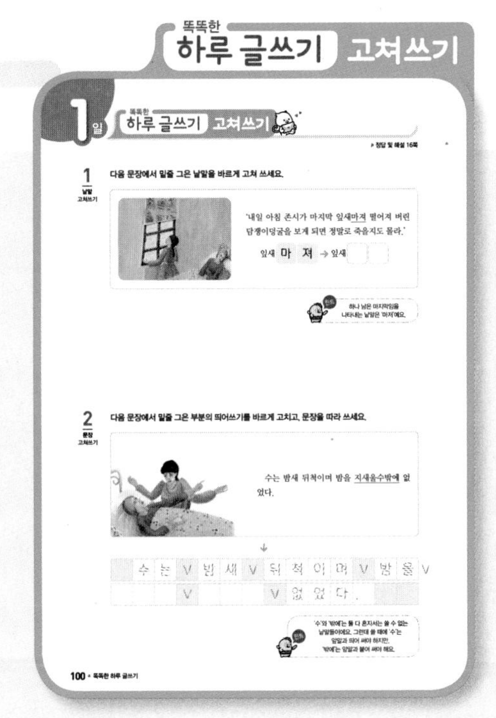

고쳐쓰기

'낱말 고쳐쓰기 → 문장 고쳐쓰기'를 통해 글쓰기의 기본인 어휘력을 높이고 문법과 맞춤법 실력을 다집니다.

내 생각 쓰기로 마무리

하루 학습 목표에 맞게 제시된 주제에 대한 내 생각 쓰기로 하루의 글쓰기 학습을 마무리합니다.

주 특강

생활 어휘

생활 속에서 자주 쓰는 속담과 관용어의 뜻과 쓰임을 만화로 익힙니다.

창의·융합·코딩 미션

게임 형식의 창의·융합·코딩 미션을 해결하며 재미있게 한 주의 중요 어휘를 확인하고 다양한 배경지식을 넓힙니다.

누구나 100점 테스트

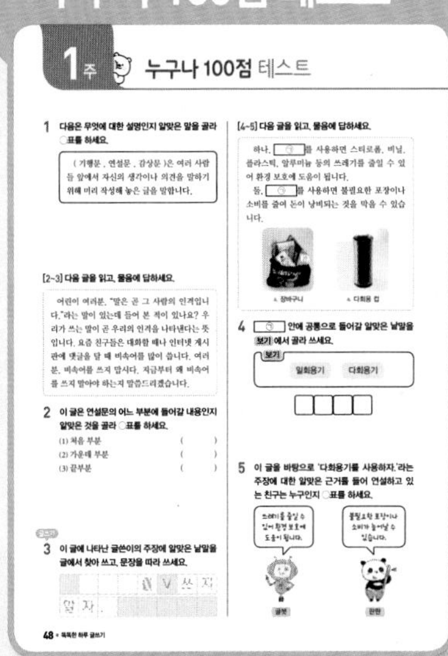

누구나 100점 테스트

한 주 동안 공부한 내용을 평가하며 갈래별 글쓰기 실력을 확인합니다.

친구들과 약속해요!

우리 같이 약속해요!

첫째, 하루하루 빠짐없이 꾸준히 공부하기!

둘째, 하루 글쓰기 문제 끝까지 다 풀기!

셋째, 또박또박 바르게 글씨 쓰기!

약속하는 사람 ______________

쉽고 재미있는
『똑똑한 하루 글쓰기』로
첫 글쓰기 공부를 시작해 봐요.

똑 똑 한

하루 글쓰기

1주

1주에는 무엇을 공부할까? ❶

1
주

연설문을 써 보자!

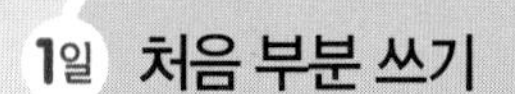

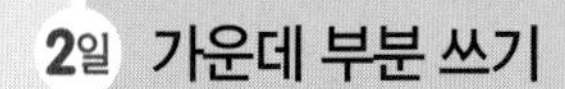

- 1일 처음 부분 쓰기
- 2일 가운데 부분 쓰기
- 3일 끝부분 쓰기
- 4일 연설문 쓰기 ①
- 5일 연설문 쓰기 ②

1주에는 무엇을 공부할까? ❷

1-1 다음은 어떤 글에 대한 설명인지 알맞은 것을 골라 ○표를 하세요.

여러 사람들 앞에서 자신의 생각이나 의견을 말하기 위해 미리 작성해 놓은 글이다.

(1) 생활문 (　　　)

(2) 연설문 (　　　)

(3) 설명문 (　　　)

1-2 다음 중 연설문에 대해 바르게 말한 친구의 이름에 ○표를 하세요.

여러 사람들 앞에서 말하기 위한 것이므로 반말로 친근하게 써야 해.

판판

어떤 지식이나 정보를 이해하기 쉽게 객관적으로 전달하는 글을 말해.

글봇

여러 사람들 앞에서 자신의 생각이나 의견을 말하기 위해 미리 작성해 놓은 글을 말해.

달래

1
주

▶정답 및 해설 2쪽

2-1 연설문의 처음 부분을 쓰는 방법을 바르게 말한 친구의 이름을 모두 쓰세요.

희수: 문제 상황과 주장을 제시해야 해.
서윤: 듣는 이의 관심을 끄는 말을 써야 해.
수혁: 듣는 이의 변화를 이끌어 내기 위하여 희망적인 마무리를 해야 해.

( )

2-2 다음은 연설문의 일부분이에요. 연설문에서 어느 부분에 해당하는지 알맞은 것을 골라 따라 쓰세요.

여러분은 운동장에 있는 놀이 기구들이 망가져 있거나 지저분한 것을 본 적이 있나요? 망가져 있거나 지저분한 놀이 기구들을 보면 어떤 기분이 드시나요? 신나게 놀지 못할 것 같아 기분이 좋지 않을 것입니다.
함께 사용하는 놀이 기구를 소중하게 다룹시다. 지금부터 놀이 기구를 어떻게 사용하면 되는지 말씀드리겠습니다.

처음　　가운데　　끝

1일 처음 부분 쓰기

관심을 끄는 말로 처음 부분을 써라!

연설문은 여러 사람들 앞에서 자신의 생각이나 의견을 말하기 위해 미리 작성해 놓은 글을 말해요.
처음 부분을 쓸 때에는 듣는 이의 관심을 끄는 말을 써요.
그리고 문제 상황과 주장을 제시해요.
연설문은 여러 사람들 앞에서 말하기 위한 것이므로 높임말로 써야 해요.

똑똑한 하루 글쓰기 미리 보기

▶정답 및 해설 2쪽

● 사다리 타기를 하여 도착한 곳의 낱말을 따라 쓰며, 연설문의 처음 부분에 들어갈 내용을 알아보아요.

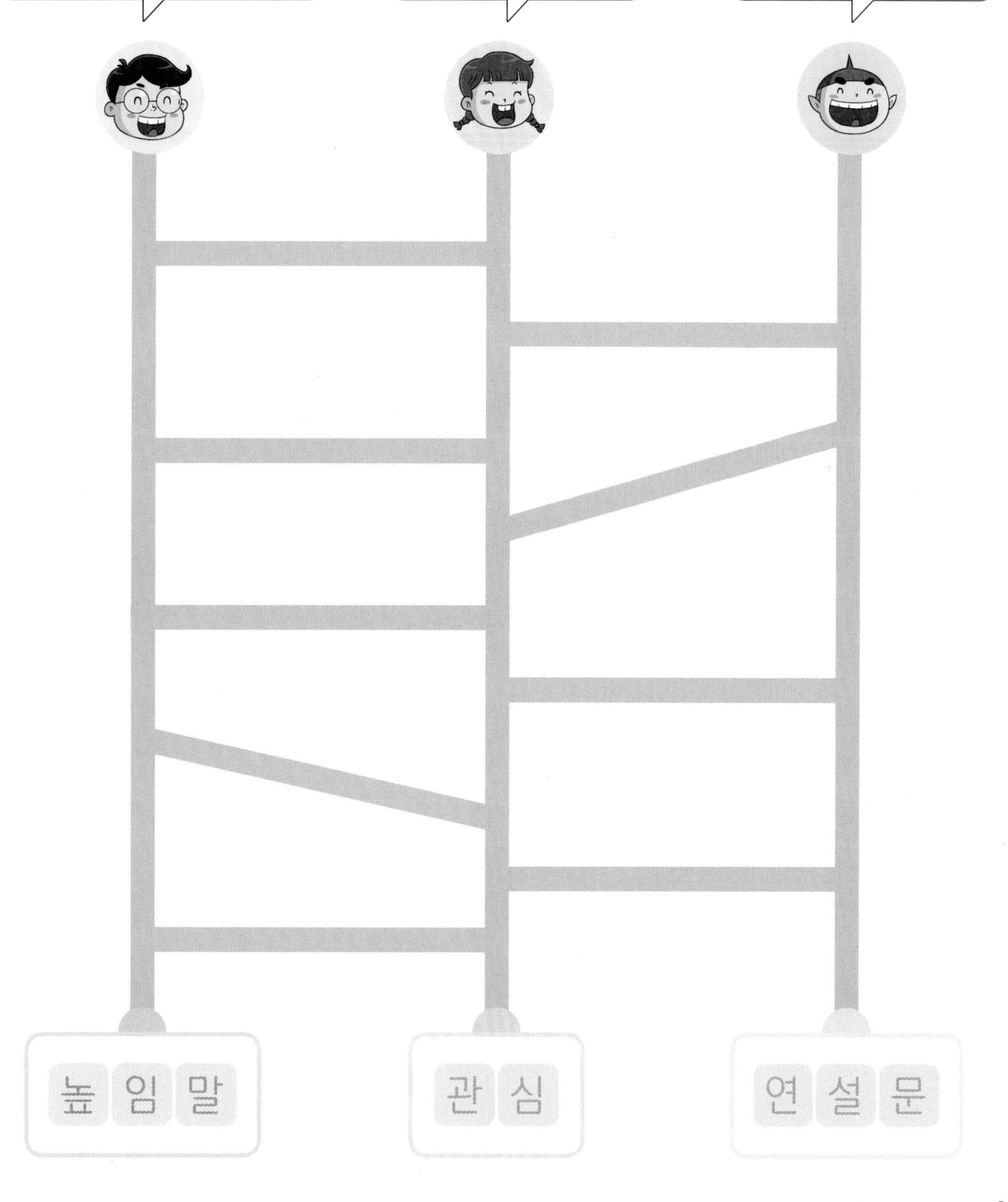

1일 처음 부분 쓰기

● 다음 대화를 읽고, 연설문의 처음 부분에 들어갈 내용을 쓰세요.

100%

어제 학교 앞에 새로 생긴 와플 가게에서
와플을 사 먹었는데 개맛있었어.

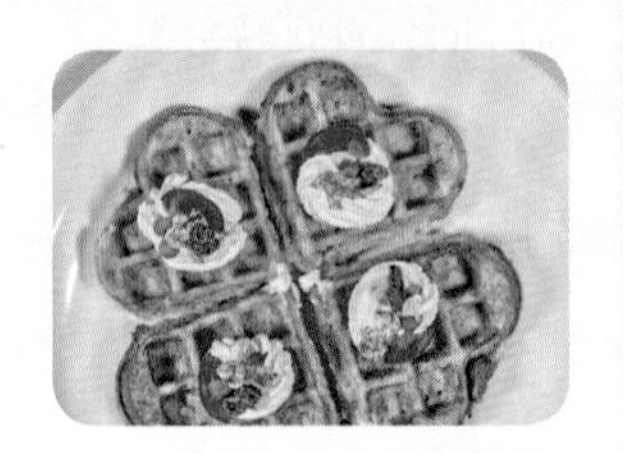

밤톨아, 말은 곧 그 사람의 인격을 나타낸다는 말이 있어.
'개맛있었다'는 표현은 비속어로 어감이 거칠고 품위 없
는 느낌을 주는 말이므로 사용하지 않아야 해.

정말? 반 친구들도 많이 사용하는 말인데
괜히 나한테 트집 잡는 거 아니지?

아니야. 요즘 비속어를 쓰는 친구들이 많은데
반 친구들에게 '비속어를 쓰지 말자.'라는 주장
으로 연설문을 써서 연설을 해야겠어.

어휘 풀이

▼ **비속어**|낮을 비 卑, 풍속 속 俗, 말씀 어 語| 고상하지 않고 품위가 없는 천한 말.
　예 대화할 때 비속어를 사용하면 상대방에게 불쾌감을 줄 수 있다.

▼ **품위**|물건 품 品, 자리 위 位| 사람이 갖추어야 할 위엄이나 기품.
　예 왕은 비록 늙고 병들었으나 품위를 잃지 않았다.

▼ **트집** 아무 이유 없이 작은 흠을 들추어내어 불평을 하거나 말썽을 부림. 또는 그 불평이나 말썽.
　예 친구는 내가 하는 일에 사사건건 트집을 잡았다.

▶ 정답 및 해설 2쪽

1
주

낱말 쓰기

다음은 연설문의 처음 부분에 들어갈 내용이에요. 달래의 말을 읽고, 빈칸에 알맞은 낱말을 쓰세요.

어린이 여러분, "말은 곧 그 사람의 인격입니다."라는 말이 있는데 들어 본 적이 있나요? 우리가 쓰는 ㅁ 이 곧 우리의 ㅇ ㄱ 을 나타낸다는 뜻입니다.

문장 쓰기

1에서 답한 내용 다음에 이어질 연설문의 처음 부분에 들어갈 내용을 보기 의 말을 이용하여 쓰세요.

보기

댓글을 달 때 | 대화할 때 | 쓰지 맙시다 | 비속어를

요즘 친구들은 ______ 나 인터넷 게시판에 ______ 비속어를 많이 씁니다. 여러분, ______ . 지금부터 왜 비속어를 쓰지 말아야 하는지 말씀드리겠습니다.

한 편 쓰기

1과 2에서 쓴 내용을 넣어 연설문의 처음 부분에 들어갈 내용을 완성하세요.

어린이 여러분, "말은 곧 그 사람의 인격입니다."라는 말이 있는데 들어 본 적이 있나요?

❶ ______

요즘 친구들은 대화할 때나 인터넷 게시판에 댓글을 달 때 비속어를 많이 씁니다.

❷ ______

▶정답 및 해설 2쪽

1

낱말 고쳐쓰기

다음 밤톨이의 말에서 밑줄 그은 낱말 대신 바꿔 쓰기에 알맞은 낱말을 보기 에서 골라 쓰세요.

보기

- **섣불리** 어설프고 서투르게.
- **공연히** 특별한 이유나 실속이 없게.

힌트 '괜히'는 '특별한 이유나 실속이 없게.'라는 뜻이에요.

반친구들도 많이 사용하는 말인데 괜히 나한테 트집 잡는 거 아니지?

→ 반 친구들도 많이 사용하는 말인데 ☐☐☐ 나한테 트집 잡는 거 아니지?

2

문장 고쳐쓰기

다음 밤톨이의 말을 친구가 고쳐 쓴 문장 과 같이 바르게 고치고, 문장을 따라 쓰세요.

친구가 고쳐 쓴 문장

아이스크림은 개맛있어.
→ 아이스크림은 정말 맛있어.

힌트 '개-'는 부정적인 뜻을 가진 낱말 앞에 오면 '정도가 심한.'의 뜻을 더해 줘요. 그런데 요즘에는 긍정적인 낱말 앞에도 붙여 마구 사용하고 있으므로 이를 바르게 고쳐 써야 해요.

어제 학교 앞에 새로 생긴 와플 가게에서 와플을 사 먹었는데 개맛있었어.

	어	제	V	학	교	V	앞	에	V	새	로	V	생
긴	V	와	플	V	가	게	에	서	V	와	플	을	V
사	V	먹	었	는	데	V			V				

똑똑한
하루 글쓰기 마무리

내 생각 쓰기로 하루 마무리

▶정답 및 해설 2쪽

◉ 다음 만화를 읽고, 보기 의 말을 이용하여 연설문의 처음 부분에 들어갈 내용을 완성하세요.

보기

- 기분이 좋지 않을 것입니다.
- 학교 도서관의 책을 소중하게 다룹시다.
- 학교 도서관에 가서 책을 빌려 보시죠?

만화를 읽고, 보기 에서 알맞은 말을 글의 흐름에 맞게 써 봐요.

어린이 여러분, 과제를 하기 위해 자료를 찾거나 읽을거리가 필요할 때 ❶ ____________

____

그런데 빌린 책에 낙서가 되어 있거나 책이 찢어져 있으면 어떤 기분이 드시나요? 아마

❷ ____

다른 사람들과 함께 사용하는 ❸ ____

____

지금부터 도서관의 책을 소중하게 다루어야 하는 이유에 대해 말씀드리겠습니다.

2일 가운데 부분 쓰기

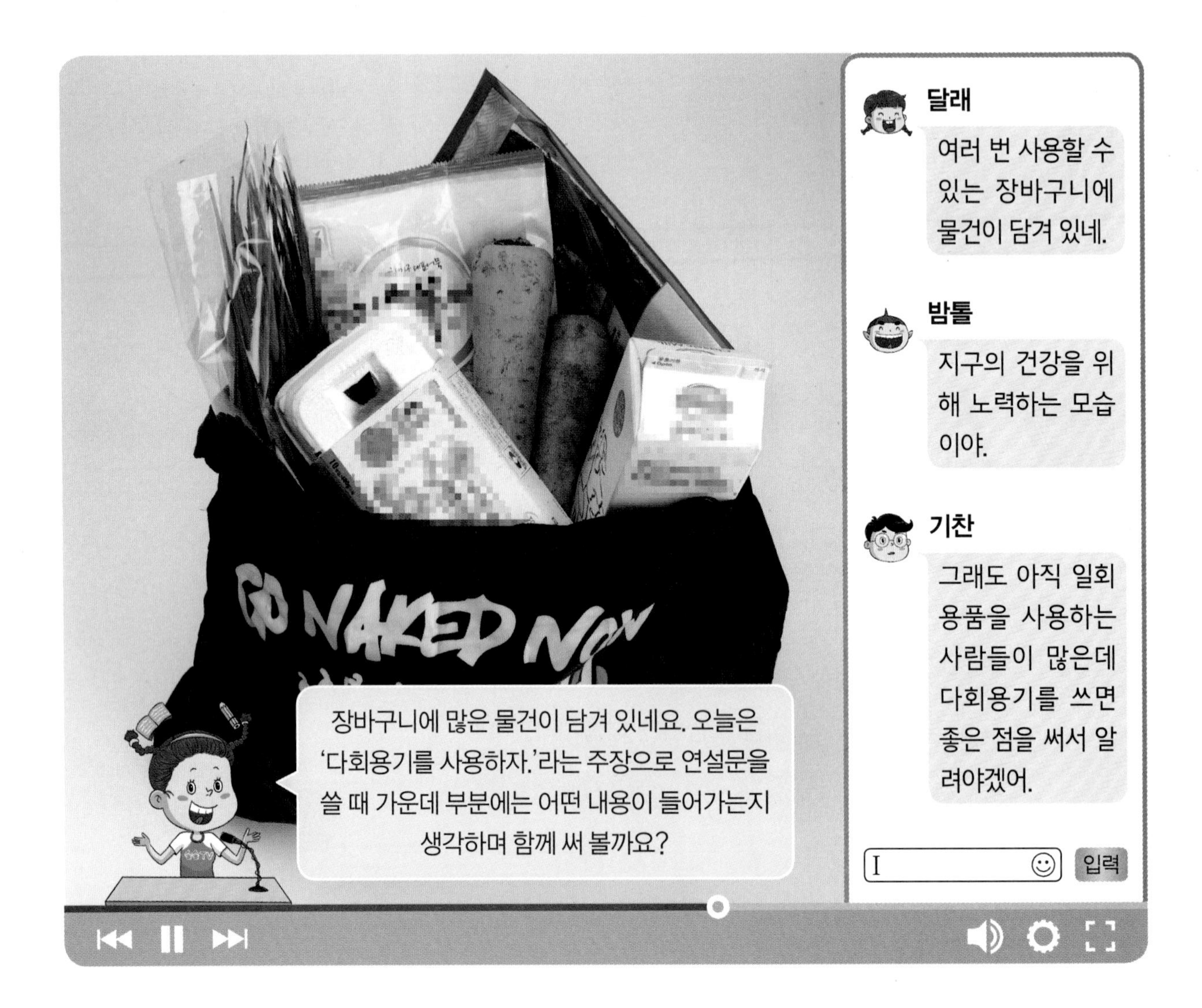

듣는 이가 이해하기 쉽게 가운데 부분을 써라!

연설문의 목적은 듣는 이를 설득하기 위함이에요.

가운데 부분을 쓸 때에는 주장을 뒷받침하는 적절한 근거를 제시해요.

이때, 듣는 이가 이해하기 쉽게 문장이나 낱말을 여러 번 반복하여 써도 좋아요.

▶정답 및 해설 3쪽

◎ 연설문의 가운데 부분을 쓰는 방법에 맞게 빈칸에 알맞은 말을 쓰고, 퍼즐판에서 찾아 ◯표를 하세요.

가운데 부분 쓰기

다음 만화를 읽고, '다회용기를 사용하자.'라는 주장에 알맞게 연설문의 가운데 부분에 들어갈 근거를 쓰세요.

어휘 풀이

- **분식**|가루 분 粉, 먹을 식 食| 밀가루로 만든 음식. ㉮ 나는 분식 중에 떡볶이를 제일 좋아한다.
- **포장**|쌀 포 包, 꾸밀 장 裝| 물건을 싸거나 꾸림. 또는 싸거나 꾸리는 데 쓰는 천이나 종이.
  ㉮ 이 인형을 포장해 주세요.
- **다회용기**|많을 다 多, 돌아올 회 回, 쓸 용 用, 그릇 기 器| 여러 번 쓰고 버리는 그릇.
  ㉮ 아빠께서는 다회용기에 음식을 포장해 오셨다.

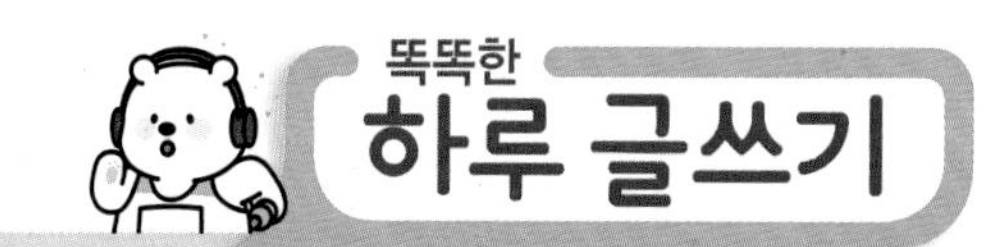

▶정답 및 해설 3쪽

낱말 쓰기

다음은 다회용기를 사용해야 하는 까닭이에요. 그림을 보고, 빈칸에 알맞은 낱말을 쓰세요.

스티로폼, 비닐, 플라스틱, 알루미늄 등의 ㅆ ㄹ ㄱ 를 줄일 수 있어 환경 보호에 도움이 됩니다.

문장 쓰기

보기 에서 알맞은 말을 골라 다회용기를 사용해야 하는 까닭을 한 문장으로 쓰세요.

보기

일이 없어지는 / 절약하는 습관 / 돈이 낭비되는 / 불필요한 포장

이나 소비를 줄여

것을 막을 수 있습니다.

한 편 쓰기

1과 2에서 쓴 내용을 넣어 '다회용기를 사용하자.'라는 주장에 알맞은 근거를 완성하세요.

하나, 다회용기를 사용하면 ❶ ______________________

____

____

둘, 다회용기를 사용하면 ❷ ______________________

____

____

1주

▶정답 및 해설 3쪽

1 낱말 고쳐쓰기

다음 설명을 잘 읽고, 엄마의 말에서 밑줄 그은 부분을 바르게 고쳐 쓰세요.

보기

'-던' 과거의 어떤 상태를 나타내는 말.

'-든' 나열된 동작 중에서 어느 것이든 선택될 수 있음을 나타내는 말.

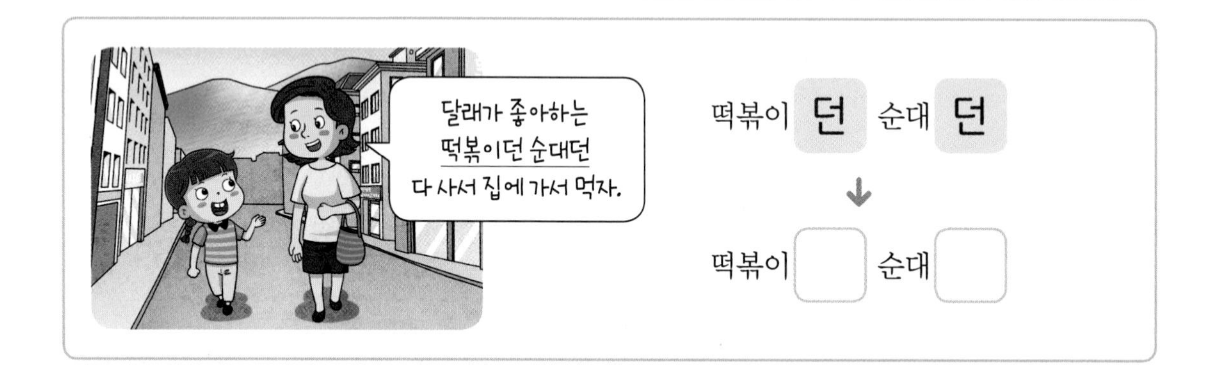

2 문장 고쳐쓰기

다음 달래의 말에서 밑줄 그은 부분의 띄어쓰기를 바르게 고치고, 문장을 따라 쓰세요.

	떡	볶	이	V		V			,	순	대	V		V
		V	포	장	해	V	주	세	요	.				

힌트 '인분'은 '사람 수를 기준으로 분량을 세는 단위.'를 나타내는 뜻으로, 수를 나타내는 말 뒤에서는 띄어 써야 해요.

▶ 정답 및 해설 3쪽

다음 대화를 읽고, 빈칸에 알맞은 내용을 써넣어 '즉석 음식을 자주 먹지 맙시다.'라고 주장하는 연설문의 가운데 부분을 완성해 보세요.

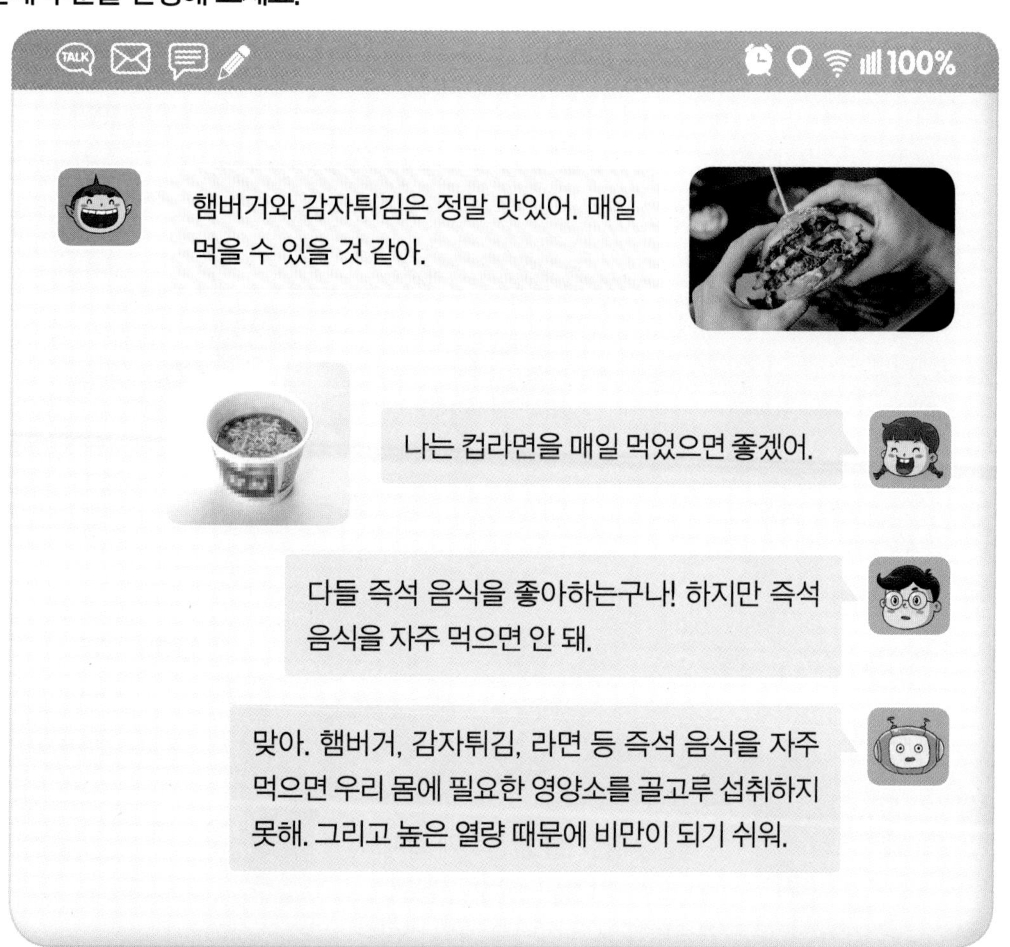

첫째, 즉석 음식을 자주 먹으면 ❶ ______________________________

____

성장기 어린이들은 영양소를 골고루 섭취해야 하는데 즉석 음식에는 영양소가 골고루 들어 있지 않습니다.

둘째, 즉석 음식을 자주 먹으면 ❷ ______________________________

____

대부분의 즉석 음식은 기름지고 설탕이 많이 들어가 있어서 많이 먹으면 살이 찌게 됩니다.

대화를 잘 읽고, 주장에 알맞게 연설문의 가운데 부분에 들어갈 근거를 찾아 빈칸에 넣어 보세요.

3일 끝부분 쓰기

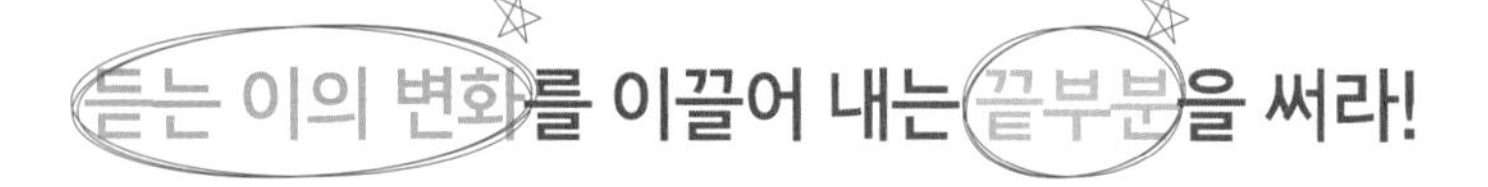

연설문의 끝부분을 쓸 때에는
듣는 이의 변화를 이끌어 내기 위하여 희망적인 마무리를 해요.
듣는 이에게 함께 문제를 해결해 나가자고 적극적으로 권유하거나
앞에서 이야기한 핵심 주장을 다시 반복해서 써도 좋아요.

▶정답 및 해설 4쪽

사다리 타기를 하여 도착한 곳의 낱말을 따라 쓰며, 연설문의 끝부분을 쓰는 방법을 알아보아요.

3일 끝부분 쓰기

● 다음 연설문을 읽고, ㉠ 안에 들어갈 끝부분의 내용을 쓰세요.

자전거를 탈 때 안전 수칙을 잘 지킵시다

어린이 여러분, 저는 며칠 전에 아파트 입구에서 쌩쌩 빠르게 자전거를 타던 친구가 행인과 부딪쳐 넘어지는 사고를 목격한 적이 있습니다. 정말 아찔한 순간이었습니다. 혹시 여러분은 자전거를 탈 때 안전 수칙을 잘 지키며 타고 있습니까? 자전거를 탈 때에는 안전 수칙을 잘 지켜야 합니다. 지금부터 여러분에게 자전거를 탈 때 지켜야 할 안전 수칙에 대해 말씀드리겠습니다.

첫째, 자전거를 탈 때에는 안전을 위해 반드시 헬멧을 착용해야 합니다.

둘째, 너무 빠른 속도로 자전거를 타지 말아야 합니다. 장애물이나 행인이 있을 경우 큰 사고로 이어질 수 있습니다.

셋째, 될 수 있으면 자전거 도로에서 타고 자전거 도로가 없는 곳에서는 도로 우측 가장자리에 붙어서 타야 합니다.

㉠

어휘 풀이

▼**행인**|다닐 행 行, 사람 인 人| 길을 가는 사람. ㉠ 어떤 행인이 나에게 길을 물었다.

▼**목격**|눈 목 目, 부딪칠 격 擊| 어떤 일이나 일이 벌어진 현장을 눈으로 직접 봄.
예 어제 저녁에 화재 현장을 목격하였다.

▼**아찔한** 놀라거나 해서 갑자기 정신이 흐려지고 어지러운.
예 동생이 다친 일은 나에게 정말 아찔한 사건이었다.

▶ 정답 및 해설 4쪽

날말 쓰기

다음은 연설문의 끝부분에 들어갈 내용이에요. 기찬이의 말을 읽고, 빈칸에 알맞은 말을 쓰세요.

여러분, 앞으로 자전거를 탈 때에는 ㅇ ㅈ ㅅ ㅊ 을 잘 지키며 탑시다.

문장 쓰기

보기 에서 알맞은 내용을 골라 **1**에서 답한 내용에 이어질 문장을 쓰세요.

보기

킥보드를 | 자전거를 | 재미있게 | 탈 수 있을

여러분이 조금만 주의를 기울인다면 우리는 안전하고 ______ 것입니다.

한 편 쓰기

1과 **2**에서 쓴 내용을 넣어 연설문의 끝부분에 들어갈 내용을 완성하세요.

❶여러분, ... V ... V
V ... V ... V ... V ... V
V ... . ❷여러분이 V 조
금만 V 주의를 V 기울인다면 V
... V ... V ... V
... V ... V ... V ... V
.

▶정답 및 해설 4쪽

1

낱말 고쳐쓰기

다음 문장의 밑줄 그은 낱말 대신 바꿔 쓰기에 알맞은 낱말을 보기 에서 골라 쓰세요.

보기

- **분실물** 자기도 모르는 사이에 잃어버린 물건.
- **방해물** 일이 제대로 되지 않게 간섭하거나 막는 사물이나 현상.

장애물이나 행인이 있을 경우 큰 사고로 이어질 수 있습니다.

☐☐☐이나 행인이 있을 경우 큰 사고로 이어질 수 있습니다.

2

문장 고쳐쓰기

다음 글봇의 말에서 밑줄 그은 부분의 띄어쓰기를 바르게 고치고, 문장을 따라 쓰세요.

저는 며칠전에 아파트 입구에서 자전거를 타던 친구가 행인과 부딪쳐 넘어지는 사고를 목격한적이 있습니다.

	저	는	V			V			V	아	파	트	V
입	구	에	서	V	자	전	거	를	V	타	던	V	친
구	가	V	행	인	과	V	부	딪	쳐	V	넘	어	지
는	V	사	고	를	V				V			V	있
습	니	다	.										

'몇 날.'을 뜻하는 '며칠'은 '일정한 때보다 앞.'의 뜻인 '전'과 함께 쓰이면 띄어 써야 하고, '그 일이 이루어지고 있거나 그 상태가 나타나 있는 때, 또는 지나간 어떤 때.'를 뜻하는 '적'은 앞말과 띄어 써야 해요.

▶정답 및 해설 4쪽

● 다음 연설문의 끝부분에 알맞은 내용을 보기 에서 골라 쓰세요.

재활용품 분리배출을 올바르게 합시다

여러분은 학교나 공원, 길거리 쓰레기통, 아파트 단지 등에서 재활용 쓰레기와 일반 쓰레기가 뒤섞이어 있는 것을 본 적이 있나요? 또 안에 내용물이 있는 음료수 병이나 음식 용기가 아무렇게 버려져 있는 모습을 보면 어떤 마음이 드나요? 아마 불쾌한 마음이 들고 환경 오염이 걱정될 것입니다. 우리는 재활용품 분리배출을 올바르게 해야 합니다. 오늘은 제가 재활용품 분리배출을 올바르게 해야 하는 이유에 대해 말씀드리겠습니다.

하나, 분리배출을 올바르게 하면 환경을 지킬 수 있습니다. 재활용품 분리배출로 재활용률이 늘면 그만큼 쓰레기가 줄어 환경에 주는 부담을 줄일 수 있습니다.

둘, 분리배출을 올바르게 하면 자원과 돈을 아낄 수 있습니다. 종류별로 분리배출을 꼼꼼하게 하면 재활용률을 높일 수 있어 자원과 돈을 아낄 수 있습니다.

▲ 분리배출을 하고 있는 모습

여러분,

보기

재활용률을 높이는 올바른 분리배출에 우리 모두 동참해서 자원과 돈을 아끼고 환경도 지킵시다.

조금만 노력하면 우리 모두 깨끗한 환경에서 살 수 있습니다. 함께 재활용품 분리배출을 올바르게 합시다.

연설문의 끝부분에는 듣는 이의 변화를 이끌어 내기 위해 희망적인 마무리를 해요.
두 가지 내용 중 어떤 내용을 써넣어도 답이 될 수 있답니다.

연설문 쓰기 ①

또래 친구들을 대상으로 연설문을 써라!

연설문은 듣는 이의 특성과 연설 시간을 생각하여 써야 해요.
또래 친구들을 대상으로 연설문을 쓸 때에는
학교에서 일어나는 문제 등 친구들이 관심을 가질 만한 주제로 쓰는 것이 좋아요.
연설문의 형식과 표현 방법에 맞게 쓰는 것도 잊지 말아요.

▶정답 및 해설 5쪽

그림에 맞는 퍼즐 모양을 찾아 ○표를 하고, 또래 친구들을 대상으로 연설문을 쓰는 방법을 알아보아요.

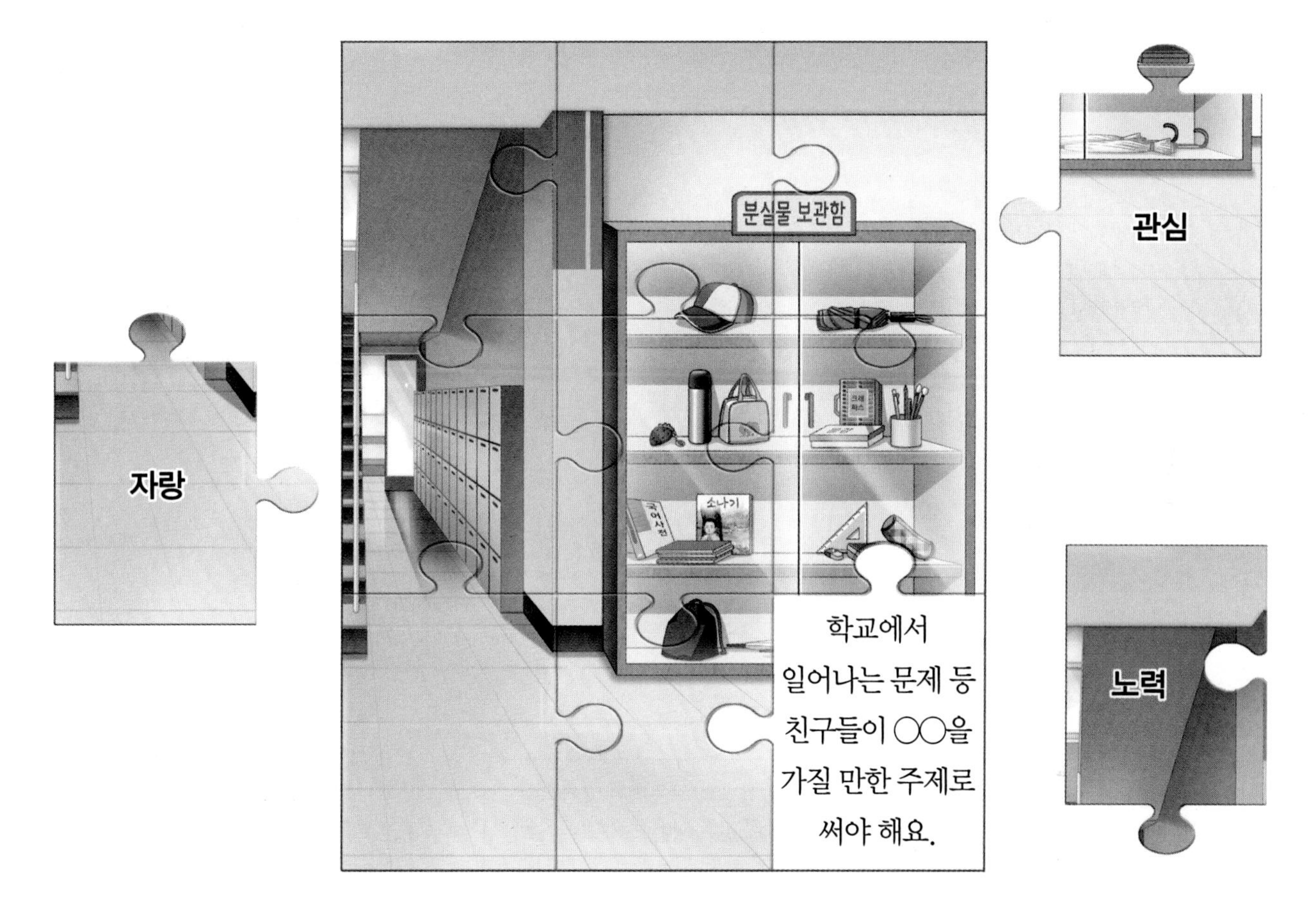

연설문을 쓰는 방법을 생각하며 문장을 따라 쓰세요.

학교 1층에 있는 분실물 보관함에서 잃어버린 물건을 빨리 찾아갑시다.

4일 연설문 쓰기 ①

◉ 다음 그림을 보고, 또래 친구들을 대상으로 연설문을 쓰세요.

처음 부분에는 친구들의 관심을 끄는 말과 문제 상황을 쓰고, 물건을 잃어버렸을 때 분실물 보관함에서 찾아가자는 주장을 쓰면 좋을 것 같아.

가운데 부분에는 잃어버린 물건을 매번 사게 되면 좋지 않은 점을 쓰면 좋을 것 같아.

끝부분에는 물건을 잃어버렸을 때 분실물 보관함을 떠올리자는 주장을 다시 쓰고 희망적으로 마무리를 하면 좋을 것 같아.

어휘 풀이

▼ **분실물** | 어지러울 분 紛, 잃을 실 失, 만물 물 物 | 자기도 모르는 사이에 잃어버린 물건.
　예 지하철에서 분실물을 주웠다.

▼ **열흘** 열 날. 예 우리 가족은 열흘 뒤에 여행을 가기로 했다.

▼ **귀찮아서** 마음에 들지 않고 괴롭거나 성가시어서.
　예 씻기가 귀찮아서 세수를 하지 않았다.

▶정답 및 해설 5쪽

낱말 쓰기

다음은 연설문의 처음 부분에 들어갈 내용이에요. 그림을 보고, 빈칸에 알맞은 말을 쓰세요.

▲ 분실물 보관함

어린이 여러분! 여러분이 흘린 연필, 지우개, 모자 등은 도대체 어디에 있을까요? 학교 1층에 있는 분실물 보관함에는 주인을 잃은 물건들이 주인을 애타게 기다리고 있습니다. 이제 물건을 잃어버렸을 때 새로 사지 말고 ㅂ ㅅ ㅁ ㅂ ㄱ ㅎ 에 가서 찾아 봅시다.

문장 쓰기

보기 의 말을 이용하여 1에서 답한 주장을 뒷받침하는 근거를 두 가지 쓰세요.

보기

돈이 자원을 소중한 낭비됩니다

❶ 잃어버린 물건을 매번 새로 사면 _______.

❷ 연필이나 지우개 등 여러 물건을 더 많이 만들어 내기 위해 _______ 낭비하게 됩니다.

한 편 쓰기

1과 2에서 쓴 내용을 바탕으로 연설문의 끝부분에 들어갈 내용을 보기 에서 골라 쓰세요.

보기

여러분의 작은 노력으로 소중한 돈과 자원을 아낄 수 있습니다.

여러분이 조금만 관심을 가지면 우리의 돈과 자원을 절약할 수 있습니다.

여러분, 앞으로 물건을 잃어버렸을 때에는 꼭 분실물 보관함을 떠올리고 찾아 보러 갑시다. ____________________

4일 똑똑한 하루 글쓰기 고쳐쓰기

▶ 정답 및 해설 5쪽

1
낱말 고쳐쓰기

다음 날짜를 세는 우리말을 살펴보고, 밑줄 그은 말을 비슷한 말로 바꿔 쓰세요.

1일	2일	3일	4일	5일	6일	7일	8일	9일	10일
하루	이틀	사흘	나흘	닷새	엿새	이레	여드레	아흐레	열흘

2
문장 고쳐쓰기

다음 친구가 고쳐 쓴 문장 과 같이 알맞은 말을 넣어 밑줄 그은 부분을 바르게 고치고, 문장을 따라 쓰세요.

친구가 고쳐 쓴 문장

나는 친구와의 약속 시간에 조금밖에 늦었어.

➔ 나는 친구와의 약속 시간에 조금밖에 늦지 않았어.

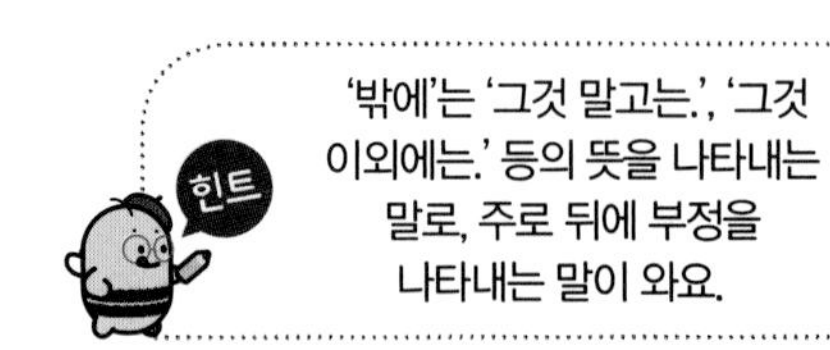

	친	구	들	이	V	귀	찮	아	서	V	찾	아	가
지	V	않	는	다	는	V	생	각	밖	에	V	들	어

.

↓

	친	구	들	이	V	귀	찮	아	서	V	찾	아	가
지	V	않	는	다	는	V	생	각			V		
		.											

V

똑똑한 하루 글쓰기 마무리

내 생각 쓰기로 하루 마무리

▶정답 및 해설 5쪽

● 다음 그림을 보고 '친구 간에 집단 따돌림을 하지 맙시다.'라는 주장으로 연설문을 써 보세요.

▲ 피부색이 다른 친구를 놀리는 상황

▲ 공부를 못한다고 친구를 놀리는 상황

▲ 마음에 들지 않는다는 이유로 친구를 따돌리는 상황

친구 간에 집단 따돌림을 하지 맙시다

처음 부분에는 그림의 상황을 보고 문제 상황과 주장을, 가운데 부분에는 주장에 대한 근거를, 끝부분에는 친구들의 변화를 이끌어 내기 위하여 희망적으로 마무리해서 연설문을 써 봐요.

5일 연설문 쓰기 ②

어른들을 대상으로 연설문을 쓸 때에는 환경 문제, 소음 문제, 반려동물 문제 등 어린이들의 힘으로는 해결할 수 없는 주제를 연설문의 형식과 표현 방법에 맞게 쓰면 돼요.

연설문은 듣는 대상에 상관없이 이해하기 쉽게 써야 하는 것도 잊지 말아요.

▶정답 및 해설 6쪽

1 주

- 어른들을 대상으로 연설문을 쓰는 방법에 맞게 빈칸에 알맞은 말을 따라 쓰세요.

어 른 들을 대상으로 연설문을 쓸 때에는 환 경 문제, 소음 문제, 반려동물 문제 등 어린이들의 힘으로는 해결할 수 없는 주 제 를 연설문의 형 식 과 표현 방법에 맞게 쓰면 돼요. 연설문은 듣는 대상에 상관없이 이해하기 쉽 게 써야 해요.

- 위에서 따라 쓴 말을 모두 찾아 색칠해 보고, 어떤 모양이 나오는지 알아보아요.

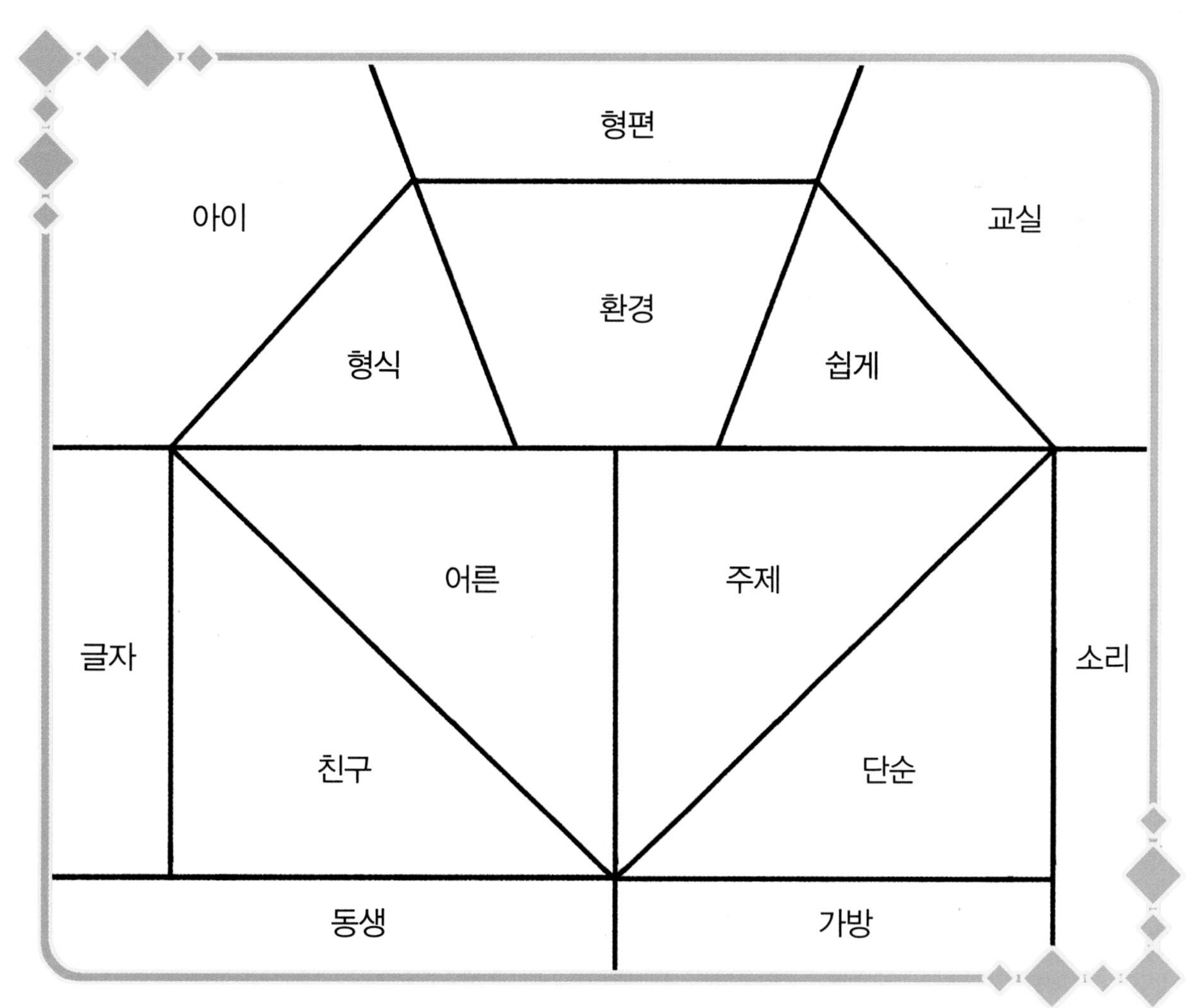

연설문 쓰기 ②

● 다음 내용을 바탕으로 연설문을 쓰세요.

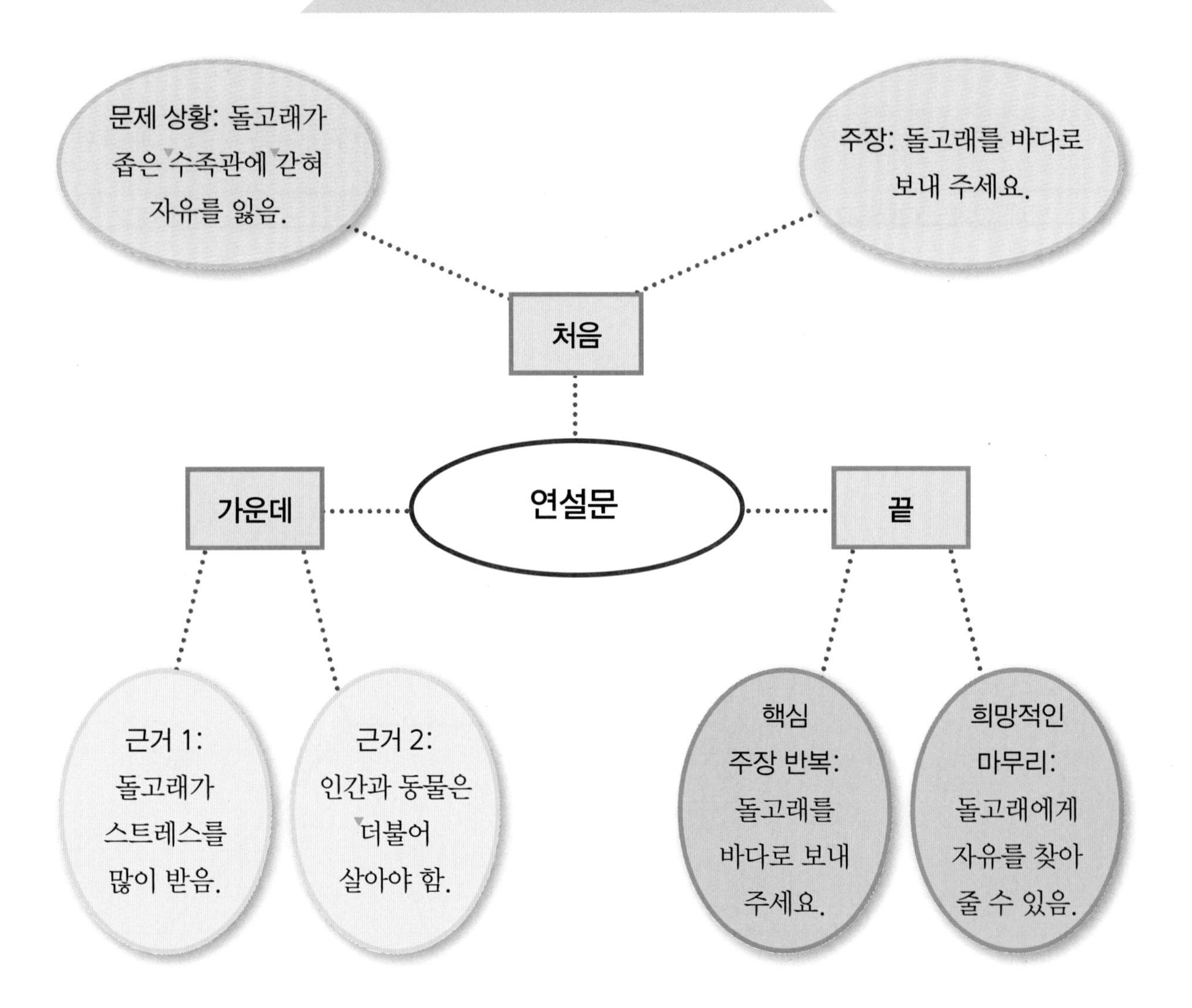

어휘 풀이

▼ **수족관**|물 수 水, 겨레 족 族, 객사 관 館| 물속에 사는 생물을 길러 살아가는 모습이나 행동 양식 등을 관찰하고 연구할 수 있도록 만든 시설.

▼ **갇혀** 어떤 공간이나 상황에서 나가지 못하게 되어.
㉠ 엘리베이터에 갇혀 답답하였다.

▼ **더불어** 둘 이상의 사람이 함께하여. ㉠ 우리는 이웃과 더불어 삽니다.

▲ 수족관

▶정답 및 해설 6쪽

낱말 쓰기

다음은 연설문의 처음 부분에 들어갈 내용이에요. 사진을 보고, 빈칸에 알맞은 낱말을 쓰세요.

▲ 수족관에 갇혀 있는 돌고래

여러분! 저는 동물인 돌고래도 마땅히 자유를 누릴 권리가 있다고 생각합니다. 좁은 수족관에 갇혀 있는 [ㄷ][ㄱ][ㄹ]를 바다로 보내 주세요.

문장 쓰기

보기 의 말을 이용하여 1에서 답한 주장을 뒷받침하는 근거를 두 가지 쓰세요.

보기

받습니다 | 권리가 | 스트레스를 | 없습니다

❶ 활동량이 많은 돌고래에게 수족관은 너무 좁고, 돌고래 쇼를 위한 훈련 때문에 돌고래가 [ ][ ][ ][ ][ ] 많이 [ ][ ][ ][ ].

❷ 인간과 동물은 더불어 살아야 합니다. 인간에게는 동물을 부릴 [ ][ ][ ][ ][ ][ ][ ].

한 편 쓰기

1과 2에서 쓴 내용을 바탕으로 연설문의 끝부분에 들어갈 내용을 보기 에서 골라 쓰세요.

보기

돌고래는 자유를 찾아 행복하게 살 수 있을 것입니다.

돌고래는 바다로 돌아가서 자유롭게 살 수 있을 것입니다.

여러분! 돌고래를 바다로 보내 주세요. 여러분의 관심과 노력으로 ______________

____

▶ 정답 및 해설 6쪽

1 낱말 고쳐쓰기

다음 밑줄 그은 낱말 대신 바꿔 쓰기에 알맞은 낱말을 보기 에서 골라 쓰세요.

보기

홀로	자기 혼자서만.
함께	한꺼번에 같이. 또는 서로 더불어.

인간과 동물은 더불어 살아야 합니다.

↓

인간과 동물은 ☐☐ 살아야 합니다.

2 문장 고쳐쓰기

다음 기찬이의 말에서 밑줄 그은 부분을 바르게 고치고, 문장을 따라 쓰세요.

돌고래가 조븐 수족관에 가쳐 스트레스를 받고 있습니다.

	돌	고	래	가	V			V	수	족	관	에	V
		V	스	트	레	스	를	V	받	고	V	있	습
니	다	.											

'면이나 바닥 등의 면적이 작은.'의 뜻인 '좁은'과 '어떤 공간이나 상황에서 나가지 못하게 되어.'의 뜻인 '갇혀'는 소리 나는 대로 쓰지 않고, 맞춤법에 맞게 써야 해요.

▶정답 및 해설 6쪽

◉ 다음 만화를 읽고, 빈칸에 알맞은 내용을 보기 에서 골라 써넣어 연설문을 완성하세요.

보기

- 깨끗한 환경에서 산책하며 지낼 수 있고
- 반려동물을 산책시킬 때 배설물을 잘 치웁시다.
- 다투거나 갈등이 생기는 것을 막을 수 있습니다.

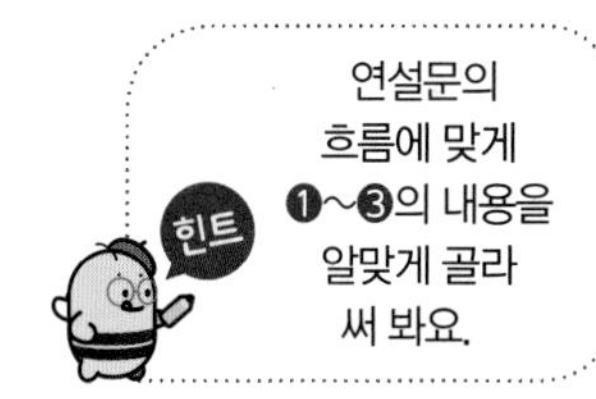

연설문의 흐름에 맞게 ❶~❸의 내용을 알맞게 골라 써 봐요.

반려동물의 배설물을 잘 치웁시다

여러분, 요즘 공원을 산책할 때나 길을 걸을 때 사람들이 반려동물을 산책시키는 것을 많이 볼 수 있죠? 저는 얼마 전에 엄마와 공원을 산책하다가 강아지의 배설물을 밟은 적이 있습니다. 기분 좋게 산책을 하다가 몹시 당황스럽고 불쾌했습니다. 여러분, ❶ ______________________

지금부터 반려동물의 배설물을 잘 치워야 하는 이유에 대해 말씀드리겠습니다.

첫째, 이웃들이 깨끗하고 쾌적한 환경에서 산책할 수 있습니다.

둘째, 반려동물의 배설물 문제로 이웃끼리 ❷ ______________________

여러분, 반려동물을 산책시킬 때 조금만 신경을 쓰면 우리 모두 ❸ ______________________, 치우지 않은 반려동물의 배설물 때문에 얼굴을 붉히는 일이 사라질 것입니다. 반려동물을 산책시킨 길에 배설물이 남지 않도록 잘 치웁시다.

1주 특강

생활 어휘 다음 만화를 보며 속담의 뜻을 알아보고, 상황에 맞게 속담을 써 보세요.

달걀로 바위 치기

▶ 정답 및 해설 6쪽

속담의 뜻을 알아봐요!

달걀로 바위 치기

이 속담은 "매우 어려운 상황이거나 너무 강한 상대여서 맞서 싸워도 도저히 이길 수 없는 경우."라는 뜻이랍니다.

이제 이 속담을 넣어 상황에 맞게 써 볼까요?

"□□□□□□□"

라더니 아무리 힘을 써도 형은 꿈쩍도 안 했다.

서윤이가 강아지와 산책을 하기 위해 공원으로 가고 있어요. 낱말의 뜻이 알맞은 것을 골라 공원까지 가는 길을 선으로 이어 보세요.

창의 1주에 쓰인 **낱말과 그 뜻**을 익히며 공원으로 가는 길을 찾아 봅니다.

▶정답 및 해설 7쪽

분식을 좋아하는 달래가 다회용기를 들고 와서 음식을 포장해 가려고 해요. 점원이 계산한 돈을 통해 달래가 순대를 몇 인분 포장했는지 빈칸에 숫자로 쓰세요.

융합 국어+수학

다회용기를 쓰자고 주장하는 연설문을 떠올리며 **덧셈, 뺄셈, 곱셈, 나눗셈을 하여 음식 값을 계산**해 봅니다.

● 나연이가 분실물 보관함에서 잃어버린 물건을 찾고 있어요. 다음 코딩 명령을 따라가며 만나는 나연이가 찾는 물건을 차례대로 써 보세요.

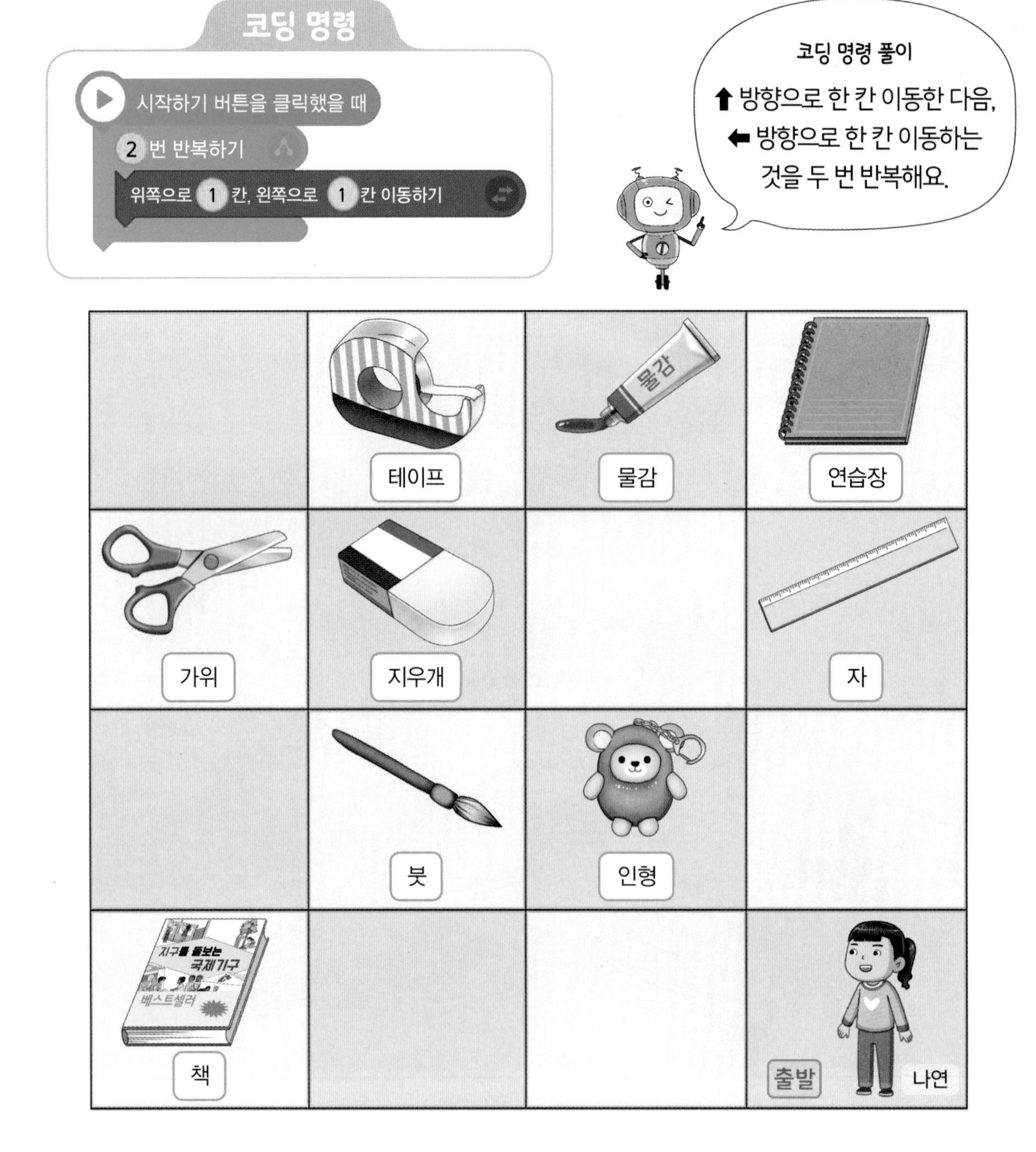

나연이가 찾는 물건은 ☐☐, ☐☐☐ 예요.

코딩 **코딩 명령**을 따라 이동하며 **잃어버린 물건**을 찾아 봅니다.

▶정답 및 해설 7쪽

● 다음은 인간과 동물이 더불어 살아가는 모습이에요. 그림에 숨어 있는 물건을 모두 찾아 ○표를 하세요.

[숨어 있는 물건] 우산, 사과, 붓, 유리컵, 못

 **창의** 인간과 동물이 더불어 살아가는 그림에서 **숨어 있는 물건**을 찾아 봅니다.

1주 누구나 100점 테스트

1 다음은 무엇에 대한 설명인지 알맞은 말을 골라 ○표를 하세요.

(기행문 , 연설문 , 감상문)은 여러 사람들 앞에서 자신의 생각이나 의견을 말하기 위해 미리 작성해 놓은 글을 말합니다.

[2~3] 다음 글을 읽고, 물음에 답하세요.

어린이 여러분, "말은 곧 그 사람의 인격입니다."라는 말이 있는데 들어 본 적이 있나요? 우리가 쓰는 말이 곧 우리의 인격을 나타낸다는 뜻입니다. 요즘 친구들은 대화할 때나 인터넷 게시판에 댓글을 달 때 비속어를 많이 씁니다. 여러분, 비속어를 쓰지 맙시다. 지금부터 왜 비속어를 쓰지 말아야 하는지 말씀드리겠습니다.

2 이 글은 연설문의 어느 부분에 들어갈 내용인지 알맞은 것을 골라 ○표를 하세요.

(1) 처음 부분 (　　)
(2) 가운데 부분 (　　)
(3) 끝부분 (　　)

글쓰기

3 이 글에 나타난 글쓴이의 주장에 알맞은 낱말을 글에서 찾아 쓰고, 문장을 따라 쓰세요.

				를	V	쓰	지
말	자	.					

[4~5] 다음 글을 읽고, 물음에 답하세요.

하나, [㉠]를 사용하면 스티로폼, 비닐, 플라스틱, 알루미늄 등의 쓰레기를 줄일 수 있어 환경 보호에 도움이 됩니다.

둘, [㉠]를 사용하면 불필요한 포장이나 소비를 줄여 돈이 낭비되는 것을 막을 수 있습니다.

▲ 장바구니

▲ 다회용 컵

4 [㉠] 안에 공통으로 들어갈 알맞은 낱말을 보기 에서 골라 쓰세요.

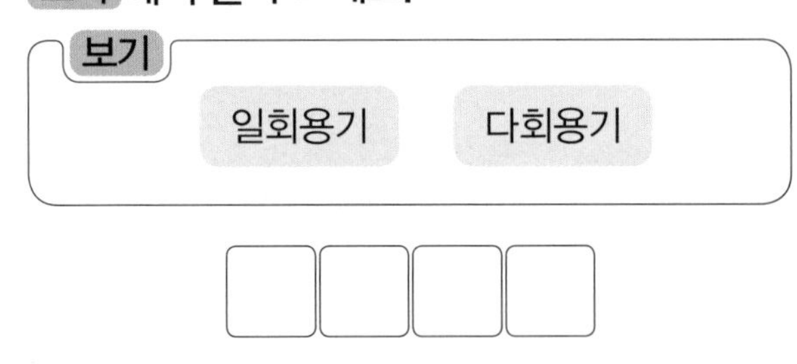

보기
일회용기　다회용기

□□□□

5 이 글을 바탕으로 '다회용기를 사용하자.'라는 주장에 대한 알맞은 근거를 들어 연설하고 있는 친구는 누구인지 ○표를 하세요.

▶정답 및 해설 8쪽

[6~7] 다음 글을 읽고, 물음에 답하세요.

(가) 지금부터 여러분에게 자전거를 탈 때 지켜야 할 안전 수칙에 대해 말씀드리겠습니다.

(나) 첫째, 자전거를 탈 때에는 안전을 위해 반드시 헬멧을 착용해야 합니다.

둘째, 너무 빠른 속도로 자전거를 타지 말아야 합니다. ㉠장애물이나 행인이 있을 경우 큰 사고로 이어질 수 있습니다.

셋째, 될 수 있으면 자전거 도로에서 타고 자전거 도로가 없는 곳에서는 도로 우측 가장자리에 붙어서 타야 합니다.

6 ㉠과 뜻이 비슷한 낱말은 무엇인가요? ( )

① 제물 ② 곡물
③ 방해물 ④ 유실물
⑤ 분실물

7 다음은 이 연설문에 이어질 끝부분이에요. 빈칸에 알맞은 말을 글에서 찾아 쓰세요.

여러분, 앞으로 자전거를 탈 때에는 □□ □□을 잘 지키며 탑시다. 여러분이 조금만 주의를 기울인다면 우리는 안전하고 재미있게 □□□를 탈 수 있을 것입니다.

[8~9] 다음 글을 읽고, 물음에 답하세요.

(가) 학교 1층에 있는 분실물 보관함에는 주인을 잃은 물건들이 주인을 애타게 기다리고 있습니다. 이제 물건을 잃어버렸을 때 새로 사지 말고 분실물 보관함에 가서 찾아 봅시다.

(나) 여러분, 앞으로 물건을 잃어버렸을 때에는 꼭 분실물 보관함을 떠올리고 찾아 보러 갑시다.

8 이 연설문에서 주장하는 것으로 알맞은 것에 ○표를 하세요.

(1) 분실물 보관함을 없앱시다. ( )

(2) 분실물 보관함에서 잃어버린 물건을 빨리 찾아갑시다. ( )

글쓰기

9 이 연설문의 주장을 뒷받침하는 근거를 쓰려고 해요. 빈칸에 알맞은 낱말을 보기 에서 각각 골라 쓰고, 문장을 따라 쓰세요.

	잃	어	버	린	V		
을	V	매	번	V	새	로	V
사	면	V		이	V	낭	비
됩	니	다	.				

10 다음에서 밑줄 그은 낱말을 바르게 고쳐 쓰세요.

돌고래가 좁은 수족관에 가쳐 스트레스를 받고 있습니다.

가쳐 → □□

2주

2주에는 무엇을 공부할까? ❶

조사 보고서를 쓰기 위한 자료 조사. 달래, 너는 숙제 다 했니?

2
주

조사 보고서를 써 보자!

2주 2주에는 무엇을 공부할까? ❷

1-1 **다음 조사 보고서에 대한 설명으로 알맞은 것을 골라 ○표를 하세요.**

(1) 여행하면서 보고, 듣고, 느끼고, 겪은 것을 쓴 글이다. ( )

(2) 어떤 문제에 대하여 다른 사람을 설득하기 위해 자신의 주장과 근거를 쓴 글이다. ( )

(3) 어떠한 대상을 자세히 알기 위하여 살펴보거나 찾아본 것의 내용이나 결과를 나타낸 글이다. ( )

1-2 **다음 달래의 말을 잘 읽고, 달래가 쓰려는 글은 무엇인지 알맞은 것을 골라 따라 쓰세요.**

조 사 보 고 서　　독 서 감 상 문

▶정답 및 해설 9쪽

2주

2-1 조사 보고서에 조사 내용을 쓰는 방법을 알맞게 말하지 못한 친구에게 ×표를 하세요.

(1) (　　　　) (2) (　　　　) (3) (　　　　)

2-2 다음은 조사 보고서에 조사 내용을 쓰는 방법이에요. 빈칸에 알맞은 말을 써넣으세요.

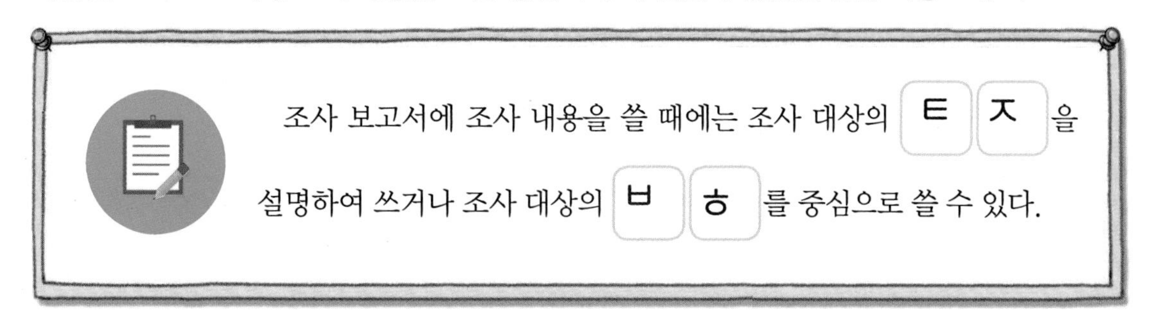

1일 날짜, 대상, 방법, 목적 쓰기

언제, 무엇을, 어떻게, 왜 조사했는지 써라!

조사 보고서는 어떠한 대상을 자세히 알기 위하여 살펴보거나 찾아본 것의 내용이나 결과를 나타낸 글이에요.

조사 보고서의 처음 부분에는 언제(날짜) 조사했는지, 무엇을(대상) 조사했는지, 어떻게(방법) 조사했는지, 왜(목적) 조사했는지를 써요.

▶정답 및 해설 9쪽

● 그림에 맞는 퍼즐 모양을 찾아 ○표를 하고, 조사 보고서의 처음 부분에 들어갈 내용 중 무엇에 해당하는지 알아보아요.

조사 보고서에 들어갈 조사 목적을 쓰는 방법을 생각하며 문장을 따라 쓰세요.

	캄	보	디	아	의	V	유	적	과	V	문	화	V
조	사	를	V	통	해	V	캄	보	디	아	에	V	대
한	V	이	해	를	V	넓	힌	다	.				

1일 날짜, 대상, 방법, 목적 쓰기

● 다음 대화를 읽고, 조사 보고서의 처음 부분에 들어갈 내용을 완성하세요.

어휘 풀이

▾**호른** 금관 악기의 하나. 활짝 핀 나팔꽃 모양이며, 음색은 부드럽고 슬픈 음조를 띤다. 서양 오케스트라에서 중간 음역의 소리를 담당하고 있다.

▾**팬 플루트** 입으로 불어 연주하는 목관 악기의 하나. 대나무나 갈대로 만든 여러 개의 세로 피리를 연결하여 만든다. 전통 음악, 클래식, 재즈 등 다양한 장르의 음악 연주에 쓰인다.

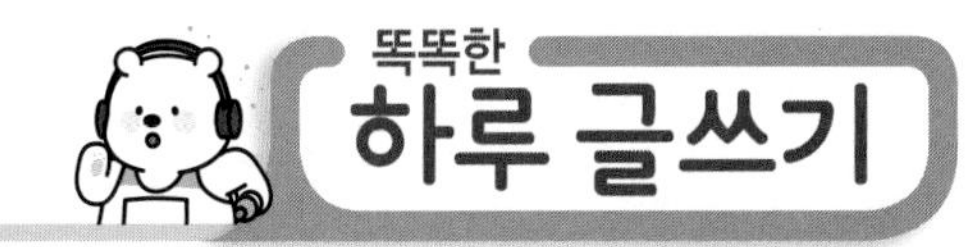

▶정답 및 해설 9쪽

낱말 쓰기

다음 그림을 보고, 보기 에서 알맞은 낱말을 골라 빈칸에 쓰세요.

보기

단소 호른 인터넷 공연장

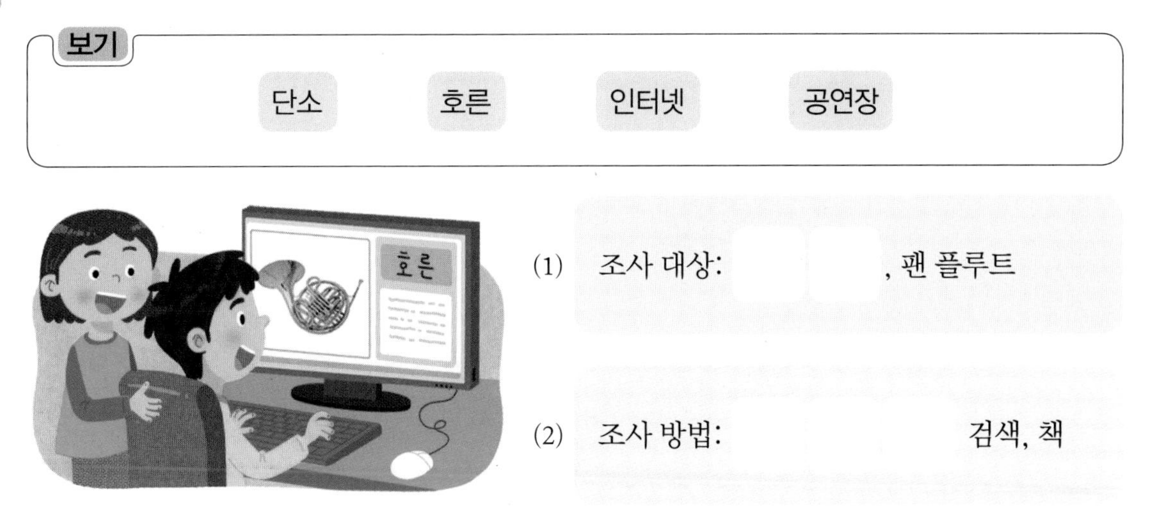

(1) 조사 대상: , 팬 플루트

(2) 조사 방법: 검색, 책

2 주

문장 쓰기

소이의 말을 잘 읽고, 빈칸에 알맞은 말을 쓰세요.

조사 목적:

를 통해

을 쌓는다.

한 편 쓰기

1과 2에서 쓴 내용을 넣어 조사 보고서의 처음 부분에 들어갈 내용을 쓰세요.

조사 날짜	20○○년 5월 10일 수요일
조사 대상	❶ ______
조사 방법	❷ ______
조사 목적	❸ ______ 을 쌓는다.

1일 똑똑한 하루 글쓰기 고쳐쓰기

▶정답 및 해설 9쪽

1 낱말 고쳐쓰기

다음 문장에서 밑줄 그은 낱말을 바르게 고쳐 빈칸에 쓰세요.

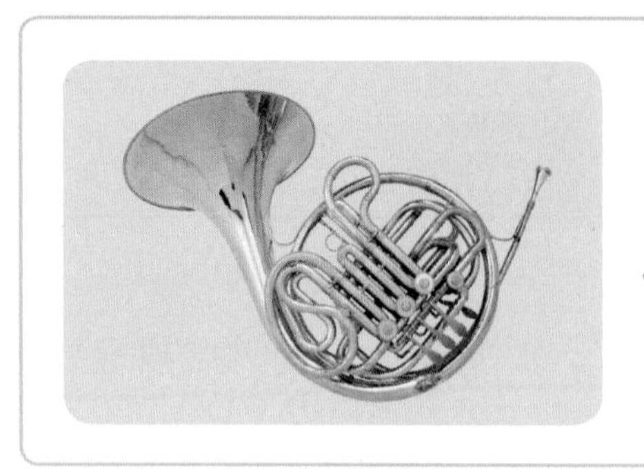

호른은 몸체의 관이 복잡하게 <u>얽여</u> 있다.

→ 호른은 몸체의 관이 복잡하게 ☐☐ 있다.

'얽히다'는 '얽다'에 '남의 힘에 의해 움직이는 일.'이라는 뜻을 더해 주는 말인 '-히-'가 붙어서 생겨난 말이에요. '얽이다'는 '얽히다'의 잘못된 표현이랍니다.

2 문장 고쳐쓰기

다음 친구가 쓴 문장 에서 밑줄 그은 부분의 띄어쓰기를 바르게 고치고, 문장을 따라 쓰세요.

친구가 쓴 문장

팬 플루트는 생김새가 막대기를 <u>여러개</u> <u>붙인것</u> 같다.

	팬	V	플	루	트	는	V	생	김	새	가	V	막
대	기	를	V			V		V			V		V
같	다	.											

'개'와 '것'은 혼자서 쓰이지는 못하지만 한 낱말이기 때문에 앞말과 띄어 써야 해요.

▶정답 및 해설 9쪽

● 친구들이 조사 보고서를 쓰기 위해 회의를 하고 있어요. 친구들의 말을 잘 읽고, 조사 보고서의 처음 부분에 들어갈 내용을 빈칸에 써 보세요.

조사 날짜	20○○년 5월 20일
조사 대상	❶ ______________________
조사 방법	❷ ______________________
조사 목적	❸ ______________________ 를 알아본다.

친구들이 무엇을 조사하려고 하는지, 어떠한 방법을 이용해서 조사를 하려고 하는지, 왜 조사를 하려고 하는지를 찾아 조사 보고서의 빈칸을 채워 보세요.

2일 조사 내용 쓰기 ①

조사 대상의 특징을 설명해라!

조사 보고서에 조사 내용을 쓸 때에는 조사한 대상의 특징을 설명할 수 있어요.
물건, 장소, 인물과 같은 대상을 조사할 때 어떠한 특징을 설명할지 생각해요.
대상의 생김새, 유래, 종류, 쓰임, 한 일과 같은 특징들을 설명할 수 있답니다.
이때, 대상의 특징이 잘 드러나는 사진을 함께 붙이면 좋아요.

똑똑한 하루 글쓰기 미리 보기

▶ 정답 및 해설 10쪽

● 조사 보고서에 조사 대상의 특징을 설명하여 조사 내용을 쓰는 방법에 맞게 빈칸에 알맞은 말을 쓰고, 퍼즐판에서 찾아 ○표를 하세요.

2일 조사 내용 쓰기 ①

◉ 다음 자료들을 읽고, 종묘에 대한 조사 내용을 완성해 보세요.

종묘

서울시 종로구에 위치한 종묘에 방문해 본 적 있나요? 종묘는 조선 시대 임금과 왕비의 위패를 모셔 놓은 장소로 장엄한 분위기를 갖춘 곳이에요. 효와 예를 중요시한 조선의 유교 정신을 잘 보여 주는 건축물이지요.

종묘에서 임금은 제사를 지냈는데, 이 제사를 종묘 제례라고 불러요.

▲ 종묘 제례

◎ 종묘 미리 보기

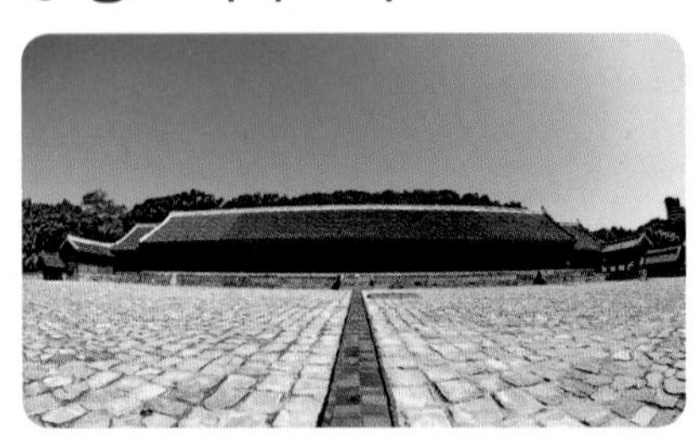

[정전]

우리나라에서 가장 긴 목조 건물이다. 늘어선 열아홉 개의 방에 조선 시대 임금과 왕비의 위패가 모셔져 있다. 처음에는 방이 열아홉 개가 아니었지만 모셔야 할 위패가 늘어나자 방의 개수를 점점 늘려 지금의 모습에 이르렀다.

[영녕전]

정전의 서쪽에 위치해 있으며, 정전에 있던 위패를 옮겨 모시기 위해 지어졌다. 구조는 정전과 비슷하지만 크기와 규모는 더 작다. '영녕'은 '왕가의 조상과 자손이 길이 평안하라.'라는 의미이다.

어휘 풀이

- **위패** | 자리 위 位, 패 패 牌 | 죽은 사람의 이름을 적은 나무로 된 패.
  - 예) 위패를 사당에 모셔 두었다.
- **장엄** | 씩씩할 장 莊, 엄할 엄 嚴 | **한** 씩씩하고 웅장하며 위엄 있고 엄숙한.
  - 예) 지휘자의 손짓에 장엄한 연주가 시작되었다.

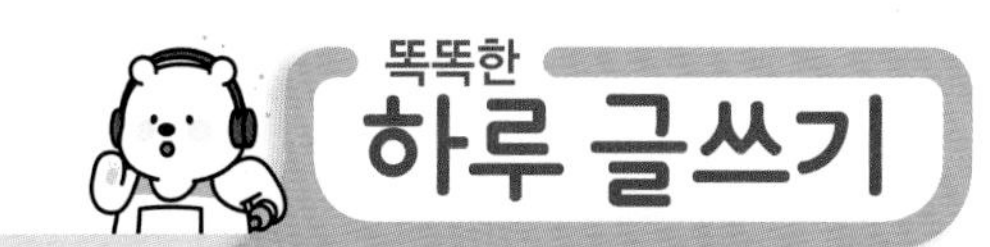

▶ 정답 및 해설 10쪽

낱말 쓰기

종묘가 어떤 곳인지 빈칸에 알맞은 낱말을 쓰세요.

▲ 조선 시대 임금과 왕비의 **위패**가 모셔진 종묘

종묘는 ㅈ ㅅ 시대 임금과 왕비의 ㅇ ㅍ 를 모셔 놓은 장소이다.

문장 쓰기

종묘의 정전에 대한 알맞은 말을 보기 에서 찾아 빈칸에 써넣으세요.

보기

우리나라에서 가장 | 큰 철제 건물 | 긴 목조 건물

정전:

로, 조선 시대 임금과 왕비의 위패가 모셔진 열아홉 개의 방이 늘어서 있다.

한 편 쓰기

1과 2의 내용을 넣어 조사 보고서에 들어갈 조사 내용을 완성하세요.

조사 내용	1. 종묘란? ❶ ____________ ____________ 위패는 죽은 사람의 이름을 적은 나무패를 말한다. 조선의 임금은 이곳에서 종묘 제례라 불리는 제사를 지냈다. 2. 종묘에 있는 건물은? ▼ 정전(위)과 영녕전(아래) – 정전: ❷ ____________ ____________ ____________가 모셔진 열아홉 개의 방이 늘어서 있다. – 영녕전: 정전에 있던 위패를 옮겨 모시기 위한 건물이다. 구조는 정전과 비슷하지만 크기와 규모가 더 작다.

2주

▶ 정답 및 해설 10쪽

1 낱말 고쳐쓰기

다음 친구가 쓴 문장 에서 밑줄 그은 낱말을 바르게 고쳐 쓰세요.

친구가 쓴 문장

이 제사를 종묘 제례라고 불려요.

↓

이 제사를 종묘 제례라고 ☐☐☐.

힌트 '불리다'는 '무엇이라고 가리켜 말해지거나 이름이 붙여지다.'라는 뜻이고, '부르다'는 '무엇이라고 가리켜 말하거나 이름을 붙이다.'라는 뜻이에요.

2 문장 고쳐쓰기

다음 문장에서 밑줄 그은 부분의 띄어쓰기를 바르게 고치고, 문장을 따라 쓰세요.

서울시 종로구에 위치한 종묘에 방문해본적 있나요?

	서	울	시	V	종	로	구	에	V	위	치	한	V
종	묘	에	V				V		V		V	있	나
요	?												

힌트 '방문해'와 '본'은 띄어 써야 하고, '적'은 혼자 쓸 수는 없지만 한 낱말이므로 앞말과 띄어 써야 해요. '본'은 어떤 일을 경험함을 나타내는 말인 '보다'의 모양이 바뀌어 쓰인 것이에요.

똑똑한
하루 글쓰기 마무리

내 생각 쓰기로 하루 마무리

▶정답 및 해설 10쪽

◉ 다음은 직업의 하나인 초등학교 선생님을 조사한 조사 보고서예요. 초등학교 선생님을 면담한 내용을 잘 읽고, 조사 보고서에 들어갈 조사 내용을 완성해 보세요.

초등학교 선생님이 하는 일에 대해 말씀해 주시겠어요?

학생들에게 공부를 가르치는 일도 하고 학생들이 올바른 가치관과 생활 태도를 가질 수 있도록 돕는 일도 한답니다.

초등학교 선생님이 되려면 무엇을 해야 할까요?

초등학교 선생님이 되기 위한 지식을 가르치는 대학교에 가는 방법이 있어요. 하지만 무엇보다도 아이들을 사랑하는 마음과 아이들의 말과 행동을 이해하려는 태도를 가져야 해요.

조사 날짜	20○○년 5월 10일 수요일
조사 대상	초등학교 선생님
조사 방법	초등학교 선생님 면담
조사 목적	장래 희망인 초등학교 선생님에 대한 이해를 넓힌다.
조사 내용	1. 초등학교 선생님이 하는 일 – ❶ ______________ – 학생들이 올바른 가치관과 생활 태도를 가질 수 있도록 돕는다. 2. 초등학교 선생님이 되기 위한 방법 – ❷ ______________ ______________ – 아이들을 사랑하는 마음과 아이들의 말과 행동을 이해하려는 태도를 가진다.

힌트 면담 내용을 잘 읽고, 초등학교 선생님이 하는 일은 무엇인지, 그리고 초등학교 선생님이 되기 위해서는 무엇을 해야 하는지 빈칸에 각각 써 보세요.

2주

3일 조사 내용 쓰기 ②

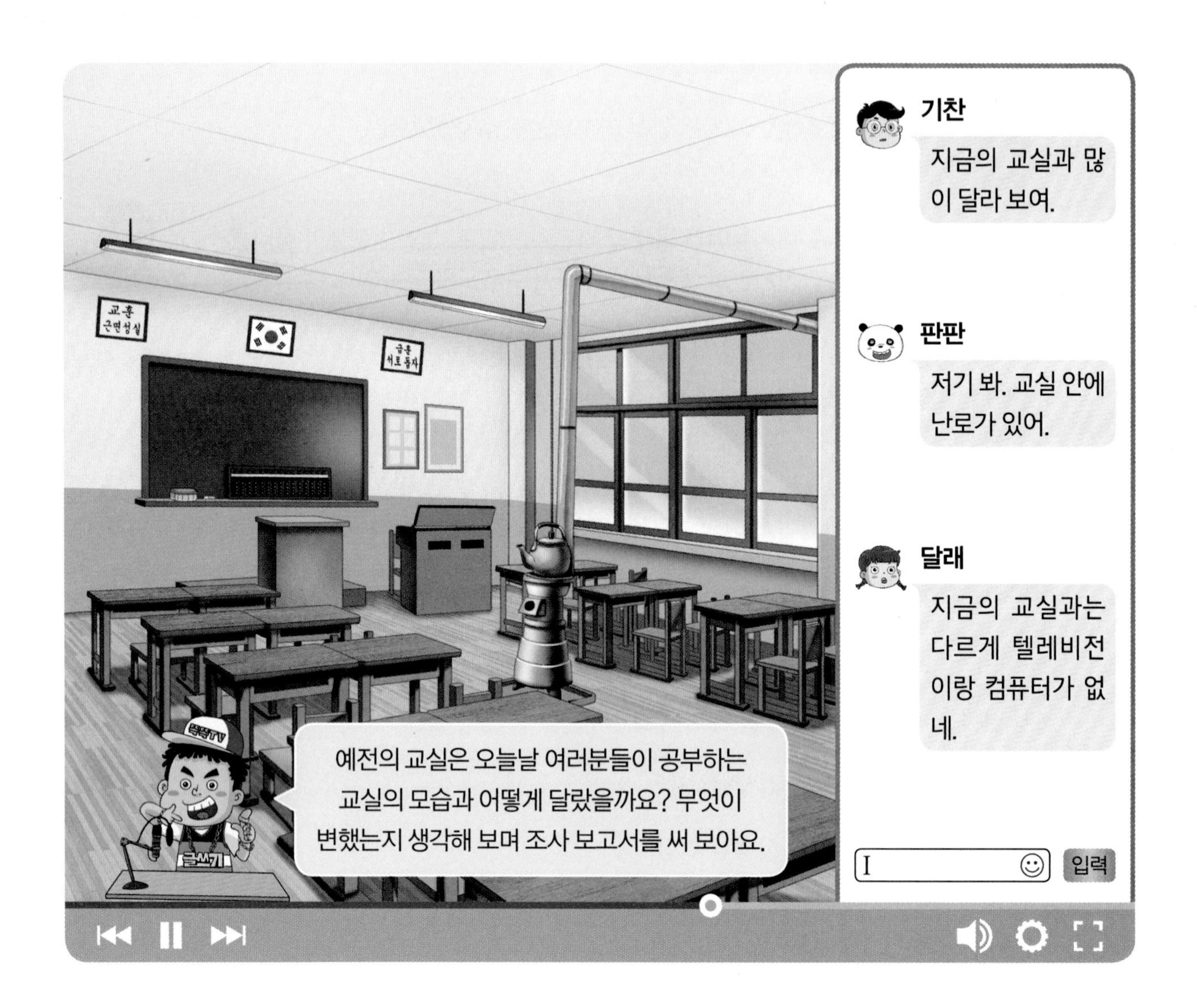

조사 대상의 변화를 생생하게 설명해라!

조사 보고서에 조사 내용을 쓸 때에는 모습이나 수의 변화와 같이
대상의 변화를 설명하는 내용도 쓸 수 있어요.
대상의 어떠한 점이 변화하였는지를 쓰고, 그 변화가 일어난 까닭이나
우리 사회에 미친 영향 등을 쓰면 된답니다.
이때, 대상의 변화를 잘 나타낼 수 있는 사진, 도표 등의 자료를 넣으면 좋아요.

똑똑한 하루 글쓰기 미리 보기

▶정답 및 해설 11쪽

● 사다리 타기를 하여 도착한 곳의 낱말을 따라 쓰며, 조사 보고서에 조사 대상의 변화를 설명하여 조사 내용을 쓰는 방법을 알아보아요.

조사 보고서에 조사 내용을 쓸 때에는 대상의 ○○를 설명하는 내용도 쓸 수 있어요.

대상의 어떠한 점이 변화하였는지를 쓰고, 그 변화가 일어난 까닭이나 우리 사회에 미친 ○○ 등을 쓰면 된답니다.

대상의 변화를 잘 나타낼 수 있는 사진, 도표 등의 ○○를 넣으면 좋아요.

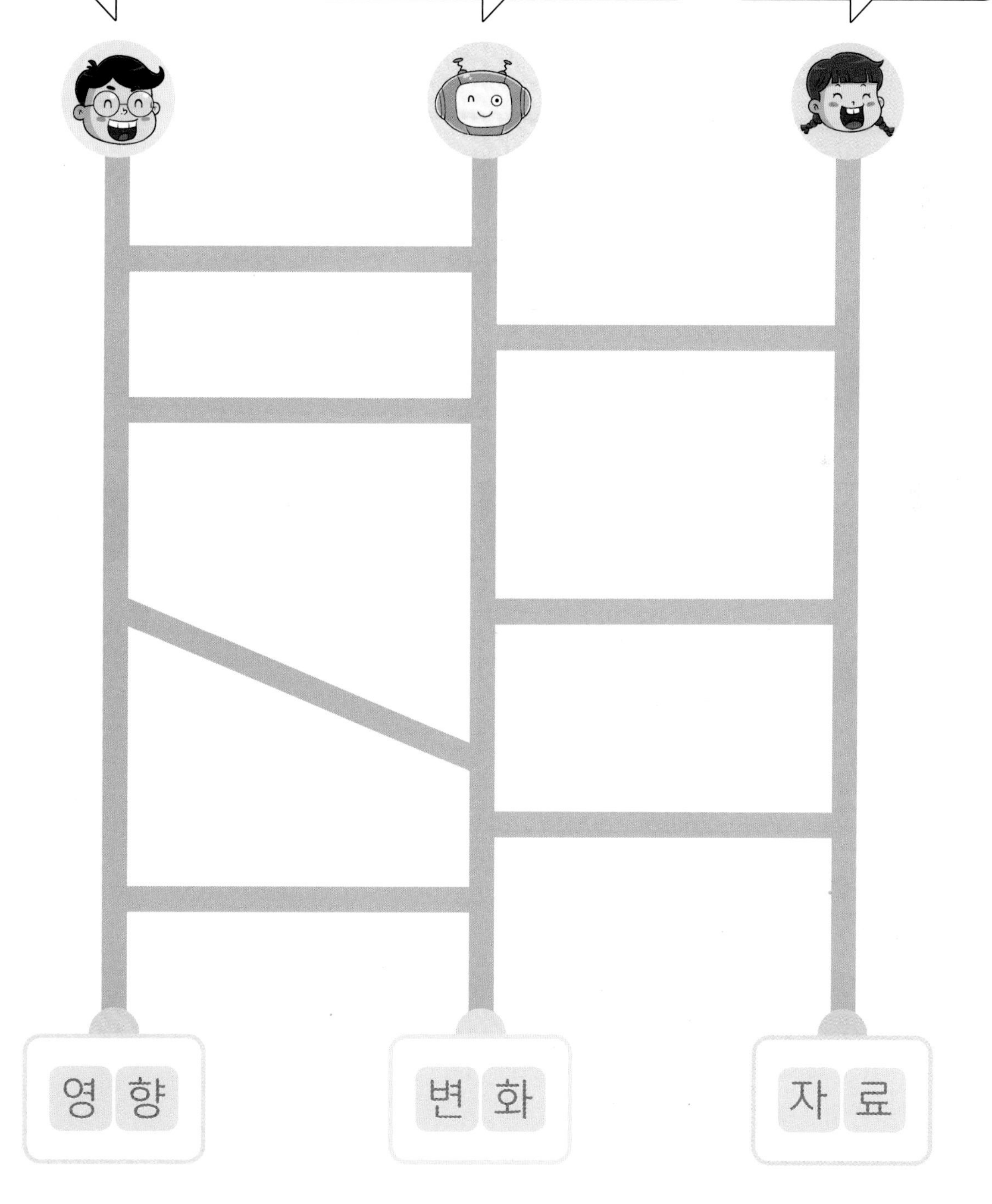

3일 조사 내용 쓰기 ②

● 다음 만화를 읽고, 우리나라 인구의 변화에 대한 조사 내용을 완성해 보세요.

어휘 풀이

▼**복지** | 복 복 福, 복 지 祉 | 편안하고 행복하게 사는 삶.

예 국민들의 행복한 삶을 위해 정부는 여러 가지 복지 제도를 만들었다.

▼**대처** | 대답할 대 對, 곳 처 處 | 어떤 어려운 일이나 상황을 이겨 내기에 알맞게 행동함.

예 그의 위기 대처 능력은 뛰어나다.

▶정답 및 해설 11쪽

낱말 쓰기

다음 그림을 보고, 빈칸에 알맞은 말을 각각 쓰세요.

우리나라 인구에서 ㅇ ㅇ 들의 수는 줄어들고 ㄴ ㅇ 들의 수는 늘어나고 있다.

문장 쓰기

인구의 변화가 우리 사회에 미치는 영향으로 알맞은 말을 보기 에서 골라 쓰세요.

보기

복지 시설과 제도 　 폐교하는 학교가 　 수업하는 학원이

(1) 학생 수가 줄어들어 ________ 늘어난다.

(2) 노인을 위한 ________ 가 늘어난다.

한 편 쓰기

1과 2에서 쓴 내용을 이용해 조사 보고서에 들어갈 조사 내용을 완성하세요.

조사 내용

1. 우리나라 인구의 변화와 그 까닭

우리나라 인구에서 ❶ ________

____

이러한 일이 일어나는 까닭은 태어나는 아이들의 수는 줄어든 반면에 환경이 좋아지고 의료 기술이 발달해 사람들이 오래 살 수 있게 되었기 때문이다.

[출처: 통계청, 2017]

(만명)

(년)	14세 이하 인구	65세 이상 인구
1995	1,053	279
2005	922	432
2015	703	654
2025(예상)	635	1,051
2035(예상)	598	1,518

▲ 우리나라 인구의 변화

2. 인구의 변화가 사회에 미치는 영향

– ❷ ________

– ❸ ________

– 일할 수 있는 젊은 사람들이 줄어든다.

▶정답 및 해설 11쪽

1 낱말 고쳐쓰기

다음 문장의 밑줄 그은 낱말 대신 바꿔 쓰기에 알맞은 낱말을 보기 에서 각각 골라 쓰세요.

보기

증가하고	수나 양이 더 늘어나거나 많아지고.
감소하고	양이나 수가 줄어들고. 또는 양이나 수를 줄이고.

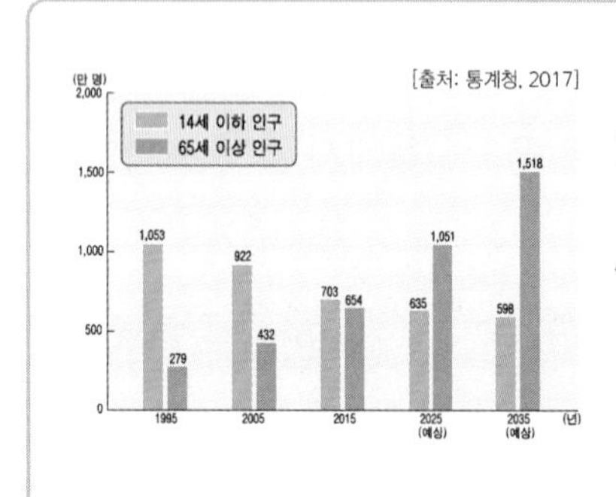

기사에 따르면 아이들의 수가 <u>줄고</u> 노인들의 수가 <u>늘고</u> 있대.

→ 기사에 따르면 아이들의 수가 □□□ □ 노인들의 수가 □□□□ 있대.

2 문장 고쳐쓰기

다음 문장에서 밑줄 그은 부분을 바르게 고치고, 문장을 따라 쓰세요.

	이	런	V	변	화	에	V	대	처	하	기	V	위
해	V	나	라	에	서	는	V	여	러	V	사	업	들
을	V				V	있	대	.					

'벌리다'는 '둘 사이를 넓히거나 멀게 하다.'라는 뜻이에요. '사업'과 어울리는 낱말은 '일을 계획하여 시작하거나 펼쳐 놓다.'라는 뜻인 '벌이다'예요.

▶정답 및 해설 11쪽

다음 만화를 읽고, 다리미의 변화에 대한 조사 보고서에 들어갈 조사 내용을 완성하세요.

오늘날의 다리미는 불에 달구어 주거나 숯불을 갈아 줄 필요가 없어 옷을 빠르게 다릴 수 있게 되었지.

조사 내용

1. 다리미의 변화

[출처: 국립중앙박물관]

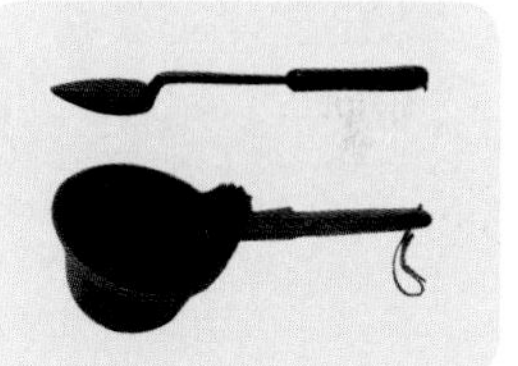
▲ 인두와 숯다리미

- 예전에는 옷을 다릴 때 ❶ ______________________ 를 사용했다. 인두는 무쇠로 만들어진 도구로 판판한 머리 부분을 불에 달구어 사용했고, 숯다리미는 접시처럼 생긴 머리 부분에 숯불을 담아 사용했다.
- 오늘날의 다리미는 전기를 이용한다. 오늘날의 다리미는 ❷ ______________________ ______________________ 나오도록 하여 옷을 다린다.

2. 다리미의 변화가 생활에 미친 영향

- ❸ ______________________ ______________________
- 옷감에 따라 다리미의 온도를 조절할 수 있어 옷을 망가뜨릴 위험이 적어졌다.

두 친구의 말을 잘 읽고, 옛날에 옷을 다릴 때 쓰던 도구는 오늘날 어떻게 변화하였는지, 그리고 그 변화가 생활에 미친 영향이 무엇인지 찾아 써 보아요.

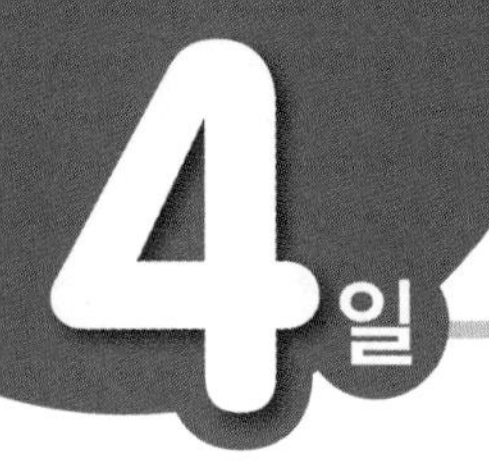

4일 생각이나 느낀 점 쓰기

조사를 마치고 난 후의 생각이나 느낀 점을 써라!

조사 보고서의 끝부분에는

조사 대상에 대한 생각이나 느낀 점을 써요.

조사하면서 새롭게 알게 된 점에 대해서 써도 좋고,

조사하고 나서 대상에 대하여 가지게 된 생각이나 느낀 점을 써도 좋아요.

▶정답 및 해설 12쪽

● 그림에 맞는 퍼즐 모양을 찾아 ○표를 하고, 조사 보고서에 들어갈 내용 중 무엇에 해당하는지 알아 보아요.

조사 보고서에 들어갈 생각이나 느낀 점을 쓰는 방법을 생각해 보며 문장을 따라 쓰세요.

	티	라	노	사	우	루	스	의	V	이	빨	V	중
내	V	팔	뚝	보	다	V	긴	V	것	도	V	있	어
서	V	깜	짝	V	놀	랐	다	.					

생각이나 느낀 점 쓰기

● 다음 조사 보고서에 들어갈 생각이나 느낀 점을 써 보세요.

우리나라 자연재해 조사 보고서

조사 날짜	20○○년 4월 20일 목요일
조사 대상	황사
조사 방법	뉴스, 인터넷 검색
조사 목적	황사의 심각성과 그에 대한 대책을 바로 안다.
조사 내용	1. 황사의 뜻과 발생 시기 – 중국이나 몽골의 사막에서 생긴 아주 작은 흙먼지가 우리나라까지 날아와 내려앉는 현상이다. – 우리나라에서는 봄에 주로 발생하는데 겨울에 얼어 있던 땅이 녹으면서 흙먼지가 많이 생기고, 중국에서 우리나라 쪽으로 불어오는 바람이 발생하기 때문이다. ▲ 황사가 발생한 도시의 모습 2. 황사가 미치는 피해 – 황사에는 우리 몸에 좋지 않은 물질들이 포함되어 있어 눈병, 알레르기와 같은 질병을 일으킨다. – 농작물의 성장을 방해하고, 기계에 고장을 일으킨다. – 태양을 가리고 시야를 뿌옇게 해 야외 활동과 비행기 운행을 어렵게 한다. 3. 황사에 대한 대책 – 황사가 심할 때에는 외출을 자제한다. – 외출할 때에는 마스크를 쓰고 집에 돌아와서는 손과 발을 씻는다. – 밖의 먼지가 실내에 들어오지 않도록 창문을 닫는다.

어휘 풀이

▼ **대책** | 대답할 대 對, 꾀 책 策 | 어려운 상황을 이겨 낼 수 있는 계획.

㉄ 문제를 해결하기 위해서는 대책을 세워야 한다.

▼ **자제** | 스스로 자 自, 억제할 제 制 | 자신의 욕구나 감정을 스스로 억누르고 다스림.

㉄ 수업 시간에는 친구와의 잡담을 자제해야 한다.

▶정답 및 해설 12쪽

낱말 쓰기

1단계 다음은 황사에 대하여 조사한 후의 생각이나 느낀 점을 쓴 것이에요. 빈칸에 알맞은 말을 쓰세요.

황사로 불어온 흙먼지로 많은 **피해** 발생하다

황사가 우리 몸과 산업, 환경에 끼치는

ㅍ ㅎ 가 많다는 것을 알게 되었다.

문장 쓰기

2단계 황사에 대하여 조사한 후의 생각이나 느낀 점을 보기 의 내용을 이용하여 쓰세요.

보기

황사 대책을 | 마음으로 | 경계하는

황사에 대해서 심각하게 생각하지 않았는데, 앞으로는

잘 따라야겠다.

한 편 쓰기

3단계 1과 2의 내용을 넣어 조사 보고서에 들어갈 생각이나 느낀 점을 쓰세요.

생각이나 느낀 점

	❶			V			V			V			,
			V				V				V		
	V		을	V	알	게	V	되	었	다	.	❷	
	V					V				V			
	V					,					V		
		V					V			V			V
잘	V	따	라	야	겠	다	.						

▶정답 및 해설 12쪽

1 낱말 고쳐쓰기

다음 문장의 밑줄 그은 말을 한 낱말로 바꿔 쓰려고 해요. 보기 에서 낱말을 골라 바꿔 쓰세요.

보기

- **해로운** 이롭지 않거나 손상을 입히게 되는 점이 있는.
- **유해한** 해로움이 있는.

황사에는 우리 몸에 <u>좋지 않은</u> 물질들이 포함되어 있어 눈병, 알레르기와 같은 질병을 일으킨다.

➔ 황사에는 우리 몸에 [ ][ ][ ] 물질들이 포함되어 있어 눈병, 알레르기와 같은 질병을 일으킨다.

어느 것을 골라도 답이 될 수 있어요. 마음에 드는 것을 골라 바꿔 써 보세요.

2 문장 고쳐쓰기

다음 친구가 쓴 문장 에서 밑줄 그은 부분을 바르게 고치고, 문장을 따라 쓰세요.

친구가 쓴 문장

황사는 중국이나 몽골의 사막에서 생긴 아주 작은 <u>흑먼지</u>가 우리나라까지 날아와 <u>내려안는</u> 현상이다.

↓

	황	사	는	V	중	국	이	나	V	몽	골	의	V
사	막	에	서	V	생	긴	V	아	주	V	작	은	V
			가	V	우	리	나	라	까	지	V	날	아
와	V					V	현	상	이	다	.		

▶ 정답 및 해설 12쪽

◉ 다음 조사 보고서를 읽고, **보기** 에서 한 가지를 골라 생각이나 느낀 점 부분을 쓰세요.

보기

알을 지키기 위해 거의 아무것도 먹지 않고 버티는 수컷 펭귄이 대단하다고 느꼈다.

펭귄이라고 하면 귀여운 모습만 생각났었는데 추운 남극에서 치열하게 살아가고 있다는 것을 알게 되었다.

조사 날짜	20○○년 6월 15일 월요일
조사 대상	황제펭귄의 모습과 삶
조사 방법	다큐멘터리, 책, 인터넷 검색
조사 목적	황제펭귄의 모습과 삶을 조사하여 황제펭귄에 대한 이해를 넓힌다.
조사 내용	1. 사는 장소와 모습 – 남극 대륙에서 살아가는 펭귄으로, 펭귄 중 몸집이 가장 크다. 뺨과 가슴에 노란색 털이 있다. 2. 살아가는 방식 – 얼음 위에 집단으로 모여서 생활하며 주로 생선을 잡아먹는다. – 남극의 겨울이 시작되는 5,6월에 알을 낳는데, 알을 낳고 암컷 펭귄은 먹이를 구하기 위해 떠나고 수컷 펭귄이 알을 지킨다. 그동안 수컷 펭귄은 얼음 조각 외에는 아무것도 먹지 않고 서로 몸을 기대 체온을 유지한 채로 버틴다. 이 기간이 약 2~4개월이다. 암컷 펭귄이 돌아오고 나서야 수컷 펭귄은 먹이를 찾으러 바다로 나간다. ▲ 황제펭귄 부모와 새끼의 모습
생각이나 느낀 점	

황제펭귄에 대한 조사 내용을 읽어 보고, 황제펭귄에 대한 생각이나 느낀 점을 **보기** 에서 한 가지 골라 써 보아요. 무엇을 골라도 답이 될 수 있어요.

조사 보고서 쓰기

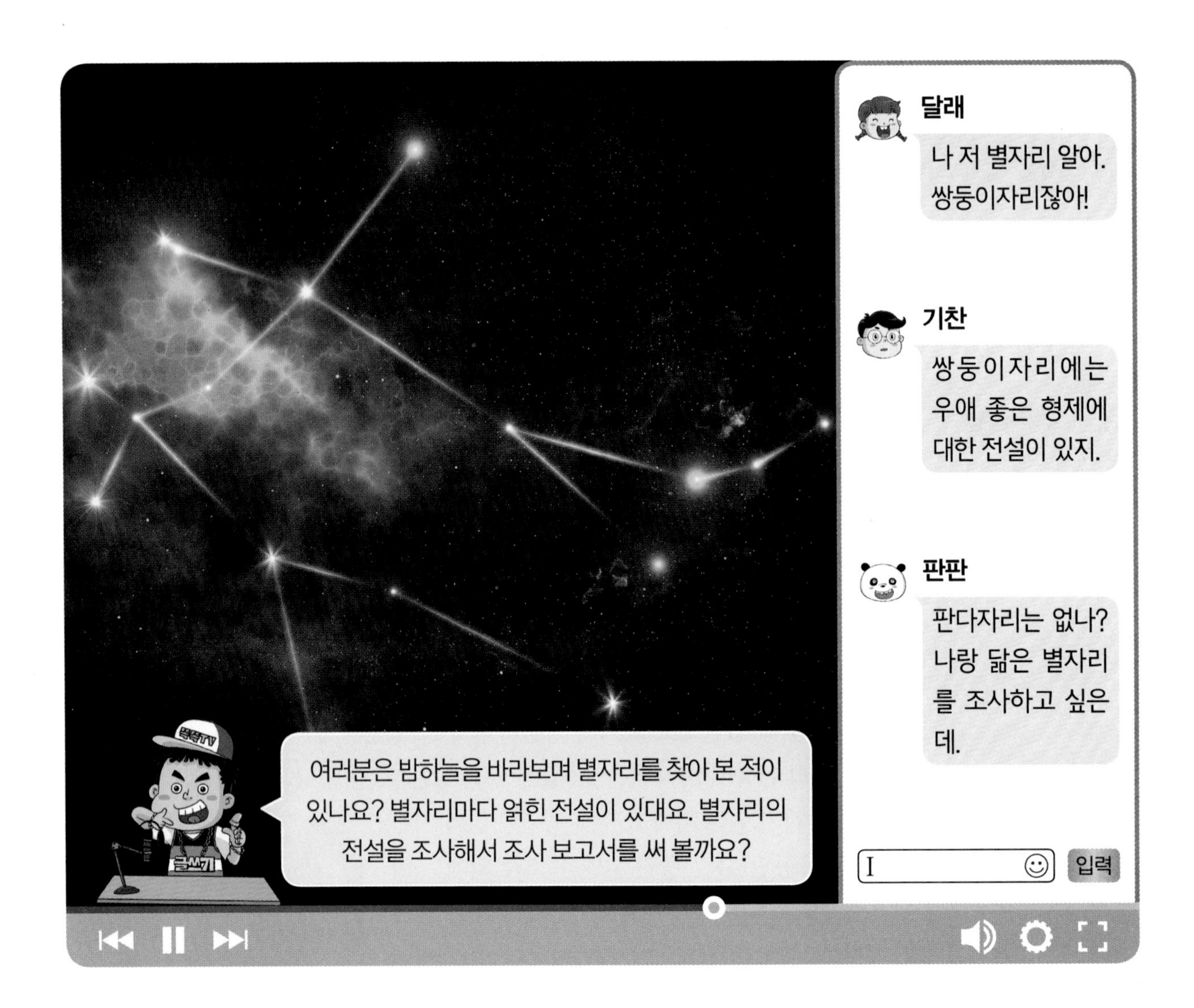

조사 보고서를 써라!

조사 보고서의 처음 부분에는 조사 날짜, 대상, 방법, 목적을 써요.

가운데 부분에는 조사한 대상을 설명하는 내용을 써요.

조사 대상을 설명할 때에는 대상의 특징이나 변화를 조사한 내용을 쓸 수 있어요.

그리고 끝부분에는 조사한 후의 생각이나 느낀 점을 써요.

▶ 정답 및 해설 13쪽

● 사다리 타기를 하여 도착한 곳의 낱말을 따라 쓰며, 조사 보고서를 쓰는 방법을 알아보아요.

5일 조사 보고서 쓰기

◉ 다음 자료들을 읽고, 정보화 사회에 대한 조사 보고서를 써 보세요.

정보화 사회와 우리

정보화 사회에서는 책이 없어도 인터넷 검색만으로 쉽게 정보를 얻을 수 있어요. 하지만 저작권▼침해의 문제도 늘어나 다른 사람의 저작권을 소중히 여기는 마음이 중요해지고 있어요.

인터넷 주문의 빛과 그림자

이제 인터넷으로 물건을 주문하는 것은 일상이다. 구매자들은 댓글이나 별점으로 제품을 서로 비교해 볼 수 있다. 그러나 일부 이용자들이 헛소문을 퍼뜨리거나 지나친 욕설과 비난으로 다른 이용자들에게 불편을 주는 일도 늘어났다. 정보의 정확성과 인터넷 예절에 대한 이용자들의 주의가 필요하다.

정보 기술과▼공유

오늘날에는 버튼 하나만 누르면 내 일상을 쉽게 다른 사람들과 공유할 수 있다. 문제는 개인 정보를 이용한 범죄가 늘어나고 있다는 것이다. 온라인에 나의 개인 정보를 함부로 올려서는 안 된다.

어휘 풀이

▼**침해** | 침노할 침 侵, 해로울 해 害 | 침범하여 해를 끼침. ㉠ 인권을 침해해서는 안 된다.

▼**공유** | 함께 공 共, 있을 유 有 | 두 사람 이상이 한 물건을 공동으로 소유함.
㉠ 공기는 전 세계 사람들의 공유 자원이다.

▶정답 및 해설 13쪽

낱말 쓰기

다음 기찬이의 말을 읽고, 조사 보고서의 처음 부분에 들어갈 조사 목적을 써 보세요.

정보 기술의 발달이 가져온 우리 일상생활의 [ㅂ] [ㅎ]를 알아보고, 우리가 갖춰야 할 [ㅌ] [ㄷ]를 바르게 안다.

문장 쓰기

조사 보고서의 조사 내용에 들어갈 알맞은 말을 보기 에서 골라 쓰세요.

보기

도서관에서 책을 빌려 | 인터넷으로 쉽게 정보 | 사생활이나 저작권 침해

조사 내용	1. 정보 기술 발달로 인한 일상생활의 변화 – (1) [ ][ ][ ][ ][ ] [ ][ ] [ ][ ] 를 얻거나 물품 구매를 할 수 있으며, 댓글 등으로 다른 사람들과 정보를 나누거나 자신의 일상을 공유할 수 있다. – (2) [ ][ ][ ][ ][ ] [ ][ ][ ] [ ][ ] 의 문제, 헛소문·비난·욕설로 인한 피해와 같은 문제점들이 심해지거나 새롭게 생겨났다. 2. 정보화 사회에서 갖춰야 할 태도 – 다른 사람의 저작권을 소중히 여기고, 내 개인 정보를 함부로 올리지 않는다. – 정확한 정보를 주고받도록 노력하고 인터넷 예절을 지킨다.

한 편 쓰기

1과 2의 내용을 읽고, 조사 보고서에 들어갈 생각이나 느낀 점을 보기 에서 골라 쓰세요.

보기

정보화 사회에서 갖춰야 할 태도를 항상 마음에 새겨야겠다.

정보 기술의 발달로 생기는 좋은 점만큼이나 나쁜 점도 많다는 사실이 놀라웠다.

▶ 정답 및 해설 13쪽

1 낱말 고쳐쓰기

다음 문장에서 밑줄 그은 낱말과 바꿔 쓰기에 알맞은 낱말을 보기 에서 골라 바꿔 쓰세요.

보기

나열해   견주어   배치해

구매자들은 댓글이나 별점으로 제품을 서로 <u>비교해</u> 볼 수 있다.

→ 구매자들은 댓글이나 별점으로 제품을 서로 [   ] 볼 수 있다.

'비교하다'는 '둘 이상의 사물을 견주어 어떤 점이 같고 다른지 살펴보다.'라는 뜻이에요.

2 문장 고쳐쓰기

다음 설명을 읽고, 친구가 쓴 문장 의 띄어쓰기를 바르게 고치고 문장을 따라 쓰세요.

만 앞말이 가리키는 동안이나 거리를 나타내는 말.
예 차가 밀려 목적지에 세 시간 <u>만</u>에 도착했다.

-만 다른 것으로부터 제한하여 어느 것을 한정함을 나타내는 말.
예 너<u>만</u> 좋다면 나는 무엇을 먹어도 상관없다.

친구가 쓴 문장

정보화 사회에서는 책이 없어도 인터넷 <u>검색 만</u>으로 쉽게 정보를 얻을 수 있어요.

	정	보	화	V	사	회	에	서	는	V	책	이	V
없	어	도	V	인	터	넷	V						V
쉽	게	V	정	보	를	V	얻	을	V	수	V	있	어
요	.												

똑똑한 하루 글쓰기 마무리

내 생각 쓰기로 하루 마무리

▶정답 및 해설 13쪽

● 다음 중 조사하고 싶은 대상을 한 가지 골라 우리 고장 조사 보고서를 써 보세요.

우리 고장의 옛 모습	우리 고장 출신 위인	우리 고장의 문화유산	우리 고장의 상징

조사 날짜	
조사 대상	
조사 방법	
조사 목적	
조사 내용	
생각이나 느낀 점	

조사 대상을 정해 자료를 수집한 후 조사 날짜, 대상, 방법, 목적을 적어요. 그런 다음 조사 대상의 생김새, 유래, 종류, 한 일과 같은 특징이나 대상의 변화가 잘 드러나도록 조사 내용을 적고, 조사 후 들었던 생각이나 느낀 점을 함께 적으면 된답니다.

생활 어휘

다음 만화를 보며 속담의 뜻을 알아보고, 상황에 맞게 속담을 써 보세요.

까마귀 날자 배 떨어진다

▶ 정답 및 해설 14쪽

속담의 뜻을 알아봐요!

까마귀 날자 배 떨어진다

이 속담은 "아무 관계없이 한 일이 우연히도 때가 같아 어떤 관계가 있는 것처럼 의심을 받게 됨."이라는 뜻이랍니다.

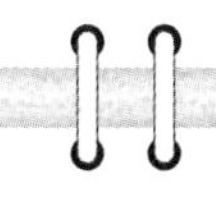

이제 이 속담을 넣어 상황에 맞게 써 볼까요?

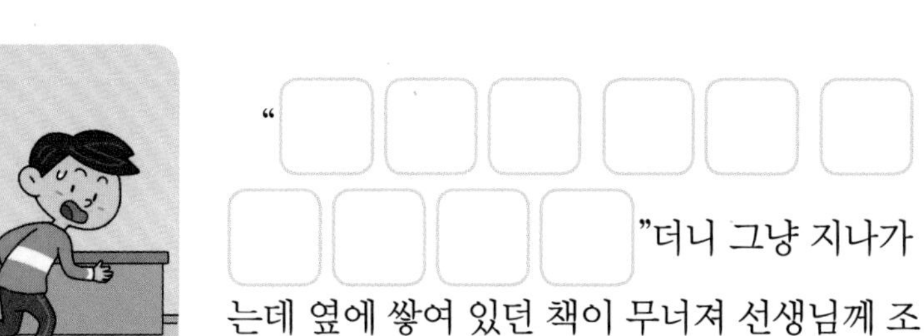

"□□□□□□□□□□"더니 그냥 지나가는데 옆에 쌓여 있던 책이 무너져 선생님께 조심하라고 혼이 났다.

◉ 지연이가 종묘에 대한 조사 보고서를 쓰기 위해 종묘를 직접 방문하려고 해요. 뜻에 알맞은 낱말을 찾아 따라 쓰며 종묘까지 가는 길을 선으로 이어 보세요.

창의 2주에 나왔던 **낱말과 그 뜻**을 익히며 **종묘**까지 가는 길을 찾아 봅니다.

▶정답 및 해설 14쪽

호른은 오케스트라에서 쓰이는 악기예요. 다음 내용을 보며 오케스트라에서 쓰이는 다른 악기들을 알아보고, 오케스트라에 대한 설명에 맞게 빈칸에 알맞은 말을 쓰세요.

현악기는 현을 켜거나 타서 소리를 내는 악기이고,
관악기는 입으로 불어서 관 안의 공기를 진동시켜 소리를 내는 악기예요.
타악기는 두드려서 소리를 내는 악기랍니다.

오케스트라에서는 바이올린, □□□, 첼로와 같은 현악기와 플루트, □□□, □□과 같은 관악기, 트라이앵글, 실로폰, □□□와 같은 타악기가 사용된다. 보통 현악기가 맨 앞에 위치하고 관악기가 중간, 타악기가 맨 뒤에 위치한다.

융합 국어+음악 호른과 같이 **오케스트라에서 쓰이는 악기**에는 무엇이 있는지 종류별로 알아봅니다.

2주 특강

우리나라에서 일어나는 자연재해에는 황사 외에도 여러 가지가 있어요. 친구들이 어떤 자연재해에 대하여 이야기하고 있는지 읽어 보고, 알맞은 곳에 ○표를 하세요.

 : 낮 최고 기온이 33도를 넘어가는 매우 심한 더위를 말해.

 : 강한 햇빛 때문에 두통, 현기증이 일어나는 일사병에 걸리거나 몸의 열을 밖으로 내보내지 못하여 걸리는 병인 열사병에 걸릴 수 있어.

 : 바깥 활동을 자제하고 땀을 많이 흘려 몸에 수분이 부족할 수 있으니 충분한 물을 마셔야 해. 어지럼증과 같은 이상 증상이 느껴지면 휴식을 취해야 하지.

(1) 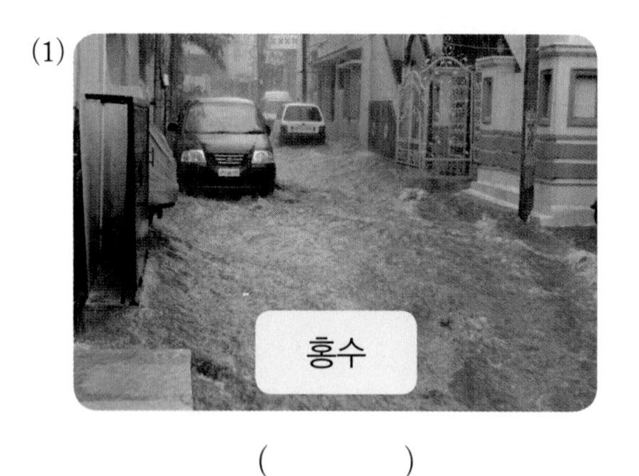

홍수

(　　　　)

(2) 폭설

(　　　　)

(3) 

가뭄

(　　　　)

(4) 

폭염

(　　　　)

융합 국어+사회

친구들이 이야기하는 **자연재해에 대한 설명**을 읽고, 우리나라에서 일어나는 자연재해 중 어떤 것에 대한 내용인지 찾아 봅니다.

▶정답 및 해설 14쪽

◉ 오늘날에는 정보 기술의 발달로 집에서도 인터넷으로 쉽게 물건을 살 수 있게 되었어요. 배달원 아저씨가 다른 곳에 들르지 않고 물건을 모두 전달할 수 있도록 코딩 카드에 알맞은 숫자를 쓰세요.

오늘 전달할 물건은 책, 이불, 옷, 장난감이구나.

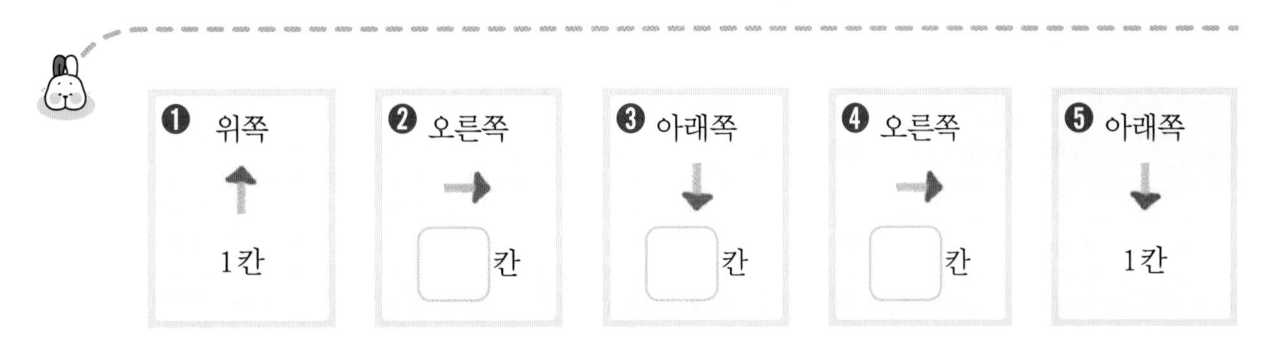

코딩 물건이 사람들에게 모두 전달될 수 있도록 **코딩 카드**를 **완성**해 봅니다.

2주 누구나 100점 테스트

1 다음 친구가 이야기하는 글의 종류는 무엇인지 알맞은 것에 ○표를 하세요.

(1) 기행문 (　　　)
(2) 주장하는 글 (　　　)
(3) 조사 보고서 (　　　)

2 다음 대화를 읽고, 조사 방법을 이야기하고 있는 친구의 이름을 쓰세요.

> 소이: 호른과 팬 플루트 조사를 통해 악기에 대한 지식을 쌓아 보자.
> 민수: 인터넷 검색과 책으로 호른과 팬 플루트를 조사해서 조사 보고서를 쓰자.

(　　　　　　)

[3~4] 다음 글을 읽고, 물음에 답하세요.

서울시 종로구에 위치한 종묘에 방문해 본 적 있나요? 종묘는 조선 시대 임금과 왕비의 위패를 모셔 놓은 장소로 장엄한 분위기를 갖춘 곳이에요. 효와 예를 중요시한 조선의 유교 정신을 잘 보여 주는 건축물이지요.

종묘에서 임금은 제사를 지냈는데, 이 제사를 종묘 제례라고 불러요.

3 이 글을 참고하여 종묘에 대한 조사 보고서의 조사 내용을 쓰려고 할 때 알맞은 것에 ○표를 하세요.

(1) 조사 내용에 종묘가 어떤 장소인지에 대한 내용을 쓴다. (　　　)
(2) 조사 내용에 서울시 종로구의 지리적 특징에 대한 내용을 쓴다. (　　　)

글쓰기

4 조사 보고서의 조사 내용에 들어갈 종묘에 대한 설명으로 알맞은 말을 이 글에서 찾아 문장을 완성하고 따라 쓰세요.

	조	선	V	시	대	V	
		V				V	위
패	를	V	모	신	V	장	소
이	다	.					

[5~6] 다음 글을 읽고, 물음에 답하세요.

> 1. 우리나라 인구의 변화와 그 까닭
> ㉠
> 이러한 일이 일어나는 까닭은 태어나는 아이들의 수는 줄어든 반면에 환경이 좋아지고 의료 기술이 발달해 사람들이 오래 살 수 있게 되었기 때문이다.
> 2. 인구의 변화가 사회에 미치는 영향
> – 학생 수가 줄어들어 폐교하는 학교가 늘어난다.

5 이 조사 보고서의 조사 대상은 무엇인가요?

• 우리나라 [ㅇ][ㄱ]의 변화

▶ 정답 및 해설 15쪽

6 이 조사 보고서에 추가할 다음 자료를 보고, [㉠]에 들어갈 조사 내용으로 알맞은 것에 ○표를 하세요.

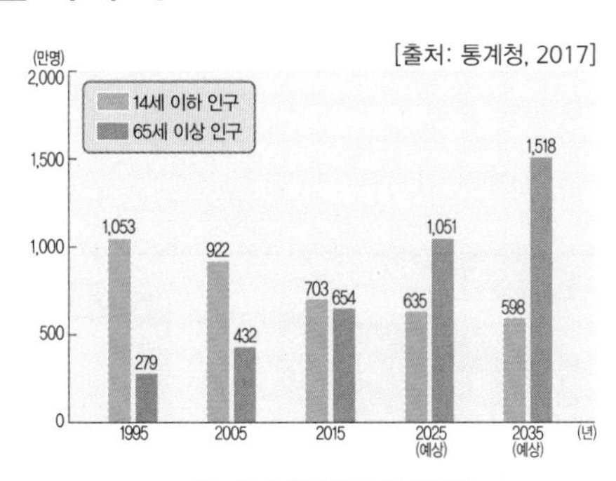

▲ 우리나라 인구의 변화

(1) 우리나라 인구에서 아이들의 수는 줄어들고 노인들의 수는 늘어나고 있다. ( )

(2) 우리나라 인구에서 아이들의 수는 늘어나고 노인들의 수는 줄어들고 있다. ( )

[7~8] 다음 글을 읽고, 물음에 답하세요.

2. 황사가 미치는 피해
- 황사에는 우리 몸에 ㉠좋지 않은 물질들이 포함되어 있어 눈병, 알레르기와 같은 질병을 일으킨다.
- 농작물의 성장을 방해하고, 기계에 고장을 일으킨다.
- 태양을 가리고 시야를 뿌옇게 해 야외 활동과 비행기 운행을 어렵게 한다.

3. 황사에 대한 대책
- 황사가 심할 때에는 외출을 자제한다.
- 외출할 때에는 마스크를 쓰고 집에 돌아와서는 손과 발을 씻는다.

7 ㉠과 바꾸어 쓸 수 있는 낱말은 무엇인가요? ( )

① 이로운 ② 유익한 ③ 유해한
④ 무해한 ⑤ 유리한

8 이 조사 보고서에 쓸 수 있는 생각이나 느낀 점을 알맞게 말한 친구의 이름을 쓰세요.

은하: 황사의 심각성을 알게 되어 앞으로는 황사 대책을 잘 따라야겠다고 생각했어.
지영: 황사가 여러 가지 피해를 일으키기는 하지만 농작물의 성장에는 도움을 준다는 점이 신기했어.

( )

글쓰기

9 다음은 황제펭귄을 조사한 조사 보고서의 일부예요. 빈칸에 알맞은 말을 써넣어 조사 보고서에 들어갈 생각이나 느낀 점을 완성하세요.

알을 낳고 암컷 펭귄은 먹이를 구하기 위해 떠나고 수컷 펭귄이 알을 지킨다. 그동안 수컷 펭귄은 얼음 조각 외에는 아무것도 먹지 않고 서로 몸을 기대 체온을 유지한 채로 버틴다. 이 기간이 약 2~4개월이다.

• [ㅇ]을 지키기 위해 거의 아무것도 [ㅁ][ㅈ][ㅇ][ㄱ] 버티는 수컷 펭귄이 대단하다고 느꼈다.

10 조사 보고서를 쓰는 방법으로 알맞지 <u>않은</u> 것에 ×표를 하세요.

(1) 조사 보고서의 처음 부분에는 조사 날짜, 대상, 방법, 목적을 쓴다. ( )

(2) 가운데 부분에는 여행의 과정과 일정, 본 것과 들은 것을 쓴다. ( )

(3) 끝부분에는 조사한 후의 생각이나 느낀 점을 쓴다. ( )

3주 3주에는 무엇을 공부할까? ❶

3주

글의 종류를 바꾸어 써 보자!

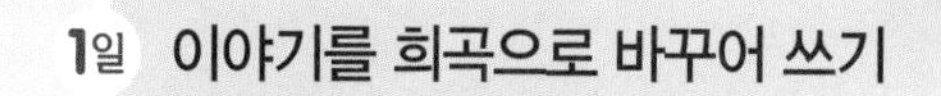

- 1일 이야기를 희곡으로 바꾸어 쓰기
- 2일 희곡을 이야기로 바꾸어 쓰기
- 3일 시를 이야기로 바꾸어 쓰기
- 4일 이야기를 시로 바꾸어 쓰기
- 5일 이야기를 만화로 바꾸어 쓰기

3주

3주에는 무엇을 공부할까? ❷

1-1

이야기를 희곡으로 바꾸어 쓸 때, 다음과 같은 부분은 희곡의 무엇으로 나타내어야 하는지 각각 선으로 이으세요.

(1) 인물 간의 대화 • • ① 대사

(2) 배경이나 인물에 대한 소개 • • ② 지문

(3) 인물의 표정이나 몸짓에 대한 묘사 • • ③ 해설

1-2

다음 이야기를 희곡으로 바꾸어 쓸 때, ㉠은 희곡의 무엇으로 바꾸어 쓸 수 있는지 골라 따라 쓰세요.

㉠"수, 커튼을 걷어 줘. 창밖을 보고 싶어."
수는 잠시 머뭇거리다 마지못해 커튼을 걷었다.

대 사　　지 문　　해 설

▶정답 및 해설 16쪽

2-1 이야기를 만화로 바꾸어 쓰는 방법으로 알맞은 것을 골라 ◯표를 하세요.

(1) 이야기의 모든 배경, 인물, 사건을 한 장면으로만 그린다. ( )

(2) 그림을 그린 다음, 말풍선 안에 대화를 넣어 나타낸다. ( )

2-2 다음 이야기를 만화로 바꾸어 쓴 것을 골라 ◯표를 하세요.

시아버지는 걱정이 되어 무엇 때문에 아프냐고 몇 번이나 물었지. 며느리는 할 수 없이 대답했어.
"사실은 방귀를 뀌고 싶은데 못 뀌어서 그래요."

(1)
시아버지: (걱정스러운 표정으로) 어디가 아픈 게냐?
며느리: (부끄러운 표정과 작은 목소리로) 사실은 방귀를 뀌고 싶은데 못 뀌어서 그래요.

( )

(2)

( )

3주

1일

이야기를 희곡으로 바꾸어 쓰기

이야기를 희곡으로 바꾸어 써라!

희곡은 연극의 대본을 말해요.

이야기를 희곡으로 바꾸어 쓸 때에 배경이나 인물에 대한 소개는 해설로 나타내요.

인물의 표정이나 몸짓에 대한 묘사는 괄호 안에 지문으로 나타내고,

인물 간의 대화는 인물 이름을 쓴 다음 인물이 직접 한 말을 쓰는 대사로 나타내요.

▶정답 및 해설 16쪽

사다리 타기를 하여 도착한 곳의 낱말을 따라 쓰며, 이야기를 희곡으로 바꾸어 쓰는 방법을 알아보아요.

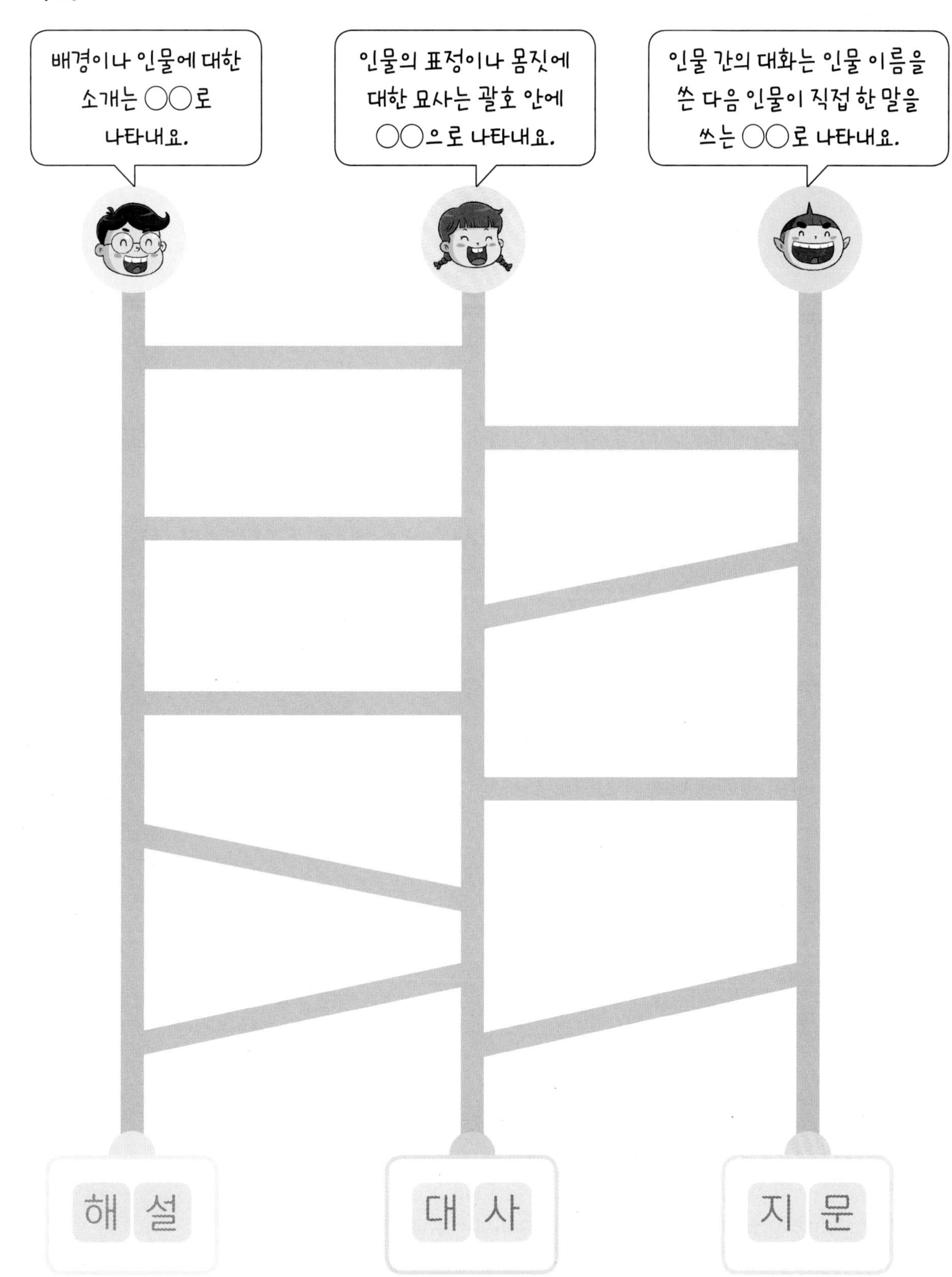

1일 이야기를 희곡으로 바꾸어 쓰기

● 다음 이야기를 읽고, ___ 부분을 희곡으로 바꾸어 쓰세요.

마지막 잎새

오 헨리

앞부분 이야기

존시는 화가 지망생이다. 하지만 훌륭한 화가가 되는 꿈을 품고 있던 존시는 폐렴에 걸려 절망하였고, 창밖의 담쟁이 잎이 모두 떨어지면 자기도 죽게 될 거라고 생각하게 되었다.

밤이 되자, 지난밤보다도 거센 바람이 불더니 이윽고 장대 같은 빗줄기가 쏟아지기 시작했다. 폭풍우가 몰아친 것이다. 수는 밤새 뒤척이며 밤을 지새울 수밖에 없었다.

'내일 아침 존시가 마지막 잎새마저 떨어져 버린 담쟁이덩굴을 보게 되면 정말로 죽을지도 몰라.'

다음 날 아침, 수가 눈을 떴을 때 존시는 흐린 눈으로 멍하니 앉아 있었다.

"수, 커튼을 걷어 줘. 창밖을 보고 싶어."

수는 잠시 머뭇거리다 마지못해 커튼을 걷었다. 커튼을 걷던 수의 손이 가늘게 떨렸다.

"오! 잎이 떨어지지 않았어."

그때 존시의 입에서 탄성이 터져 나왔다.

"정말?"

어휘 풀이

▼ **마지못해** 마음이 내키지는 않지만 사정에 따라서 그렇게 하지 않을 수 없어.

예 채민이는 마지못해 대답을 했다.

▼ **탄성**| 탄식할 탄 歎, 소리 성 聲 | 몹시 감탄하는 소리.

예 내가 우리 팀의 첫 골을 성공시키자 응원하던 친구들이 탄성을 질렀다.

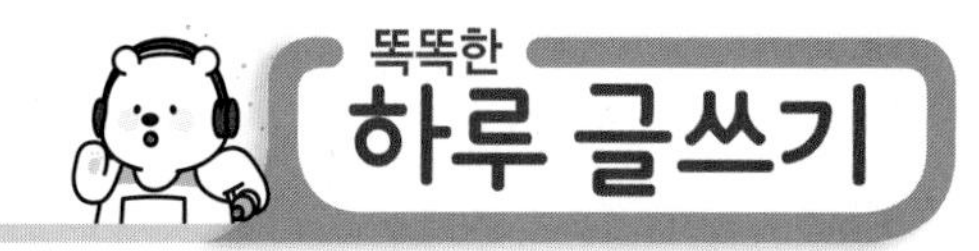

▶정답 및 해설 16쪽

낱말 쓰기

밑줄 그은 부분을 희곡의 지문으로 바꾸어 쓸 때, 빈칸에 알맞은 낱말을 쓰세요.

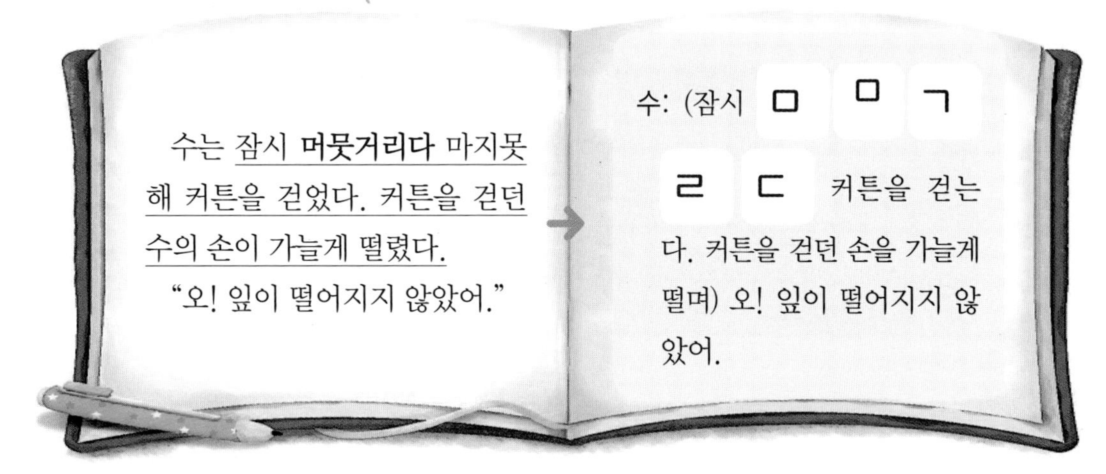

문장 쓰기

다음 부분을 희곡으로 바꾸어 쓸 때, 지문과 대사에 들어갈 알맞은 내용을 보기 에서 각각 골라 쓰세요.

보기

정말 존시 탄성

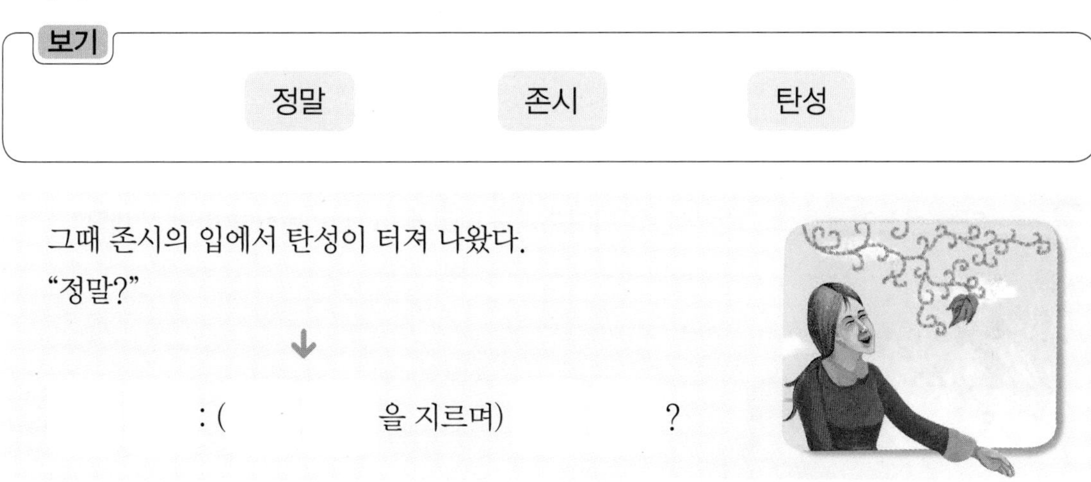

그때 존시의 입에서 탄성이 터져 나왔다.
"정말?"

↓

: (　　　　　을 지르며)　　　　　?

한 편 쓰기

1과 2에서 쓴 내용을 넣어 이야기 「마지막 잎새」의 　　 부분을 희곡으로 바꾸어 쓰세요.

• 때: 다음 날 아침 • 곳: 수와 존시의 침실
• 나오는 인물: 수, 존시

존시: (힘없는 목소리로) 수, 커튼을 걷어 줘. 창밖을 보고 싶어.

❶ 수: (잠시 ________________

커튼을 걷던 손을 가늘게 떨며) 오! 잎이 떨어지지 않았어.

❷ ________________

3주

▶정답 및 해설 16쪽

1 낱말 고쳐쓰기

다음 문장에서 밑줄 그은 낱말을 바르게 고쳐 쓰세요.

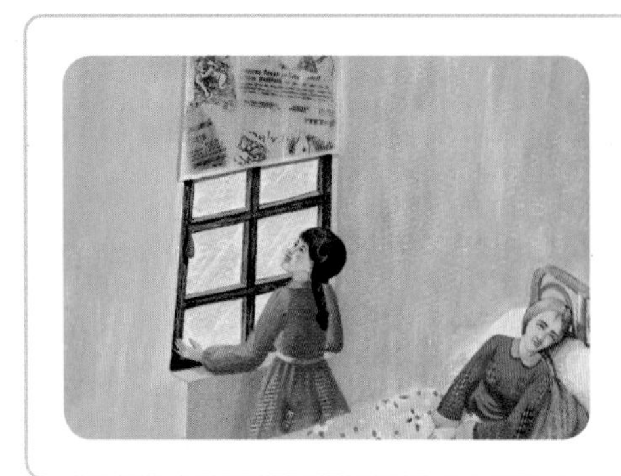

'내일 아침 존시가 마지막 잎새마져 떨어져 버린 담쟁이덩굴을 보게 되면 정말로 죽을지도 몰라.'

잎새 마 져 → 잎새 [ ][ ]

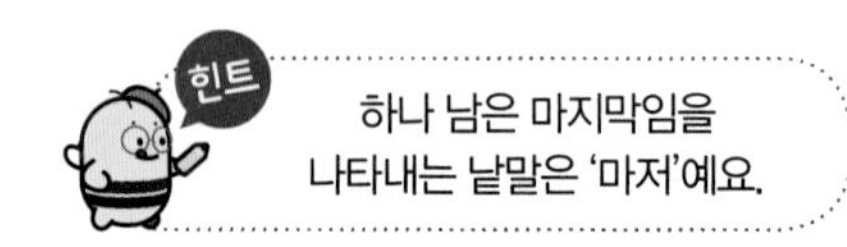

2 문장 고쳐쓰기

다음 문장에서 밑줄 그은 부분의 띄어쓰기를 바르게 고치고, 문장을 따라 쓰세요.

수는 밤새 뒤척이며 밤을 지새울수밖에 없었다.

↓

	수	는	V	밤	새	V	뒤	척	이	며	V	밤	을	V
			V				V	없	었	다	.			

'수'와 '밖에'는 둘 다 혼자서는 쓸 수 없는 낱말들이에요. 그런데 쓸 때에 '수'는 앞말과 띄어 써야 하지만, '밖에'는 앞말과 붙여 써야 해요.

▶정답 및 해설 16쪽

다음은 이야기 「마지막 잎새」의 마지막 부분이에요. 잘 읽고, 희곡으로 바꾸어 쓰세요.

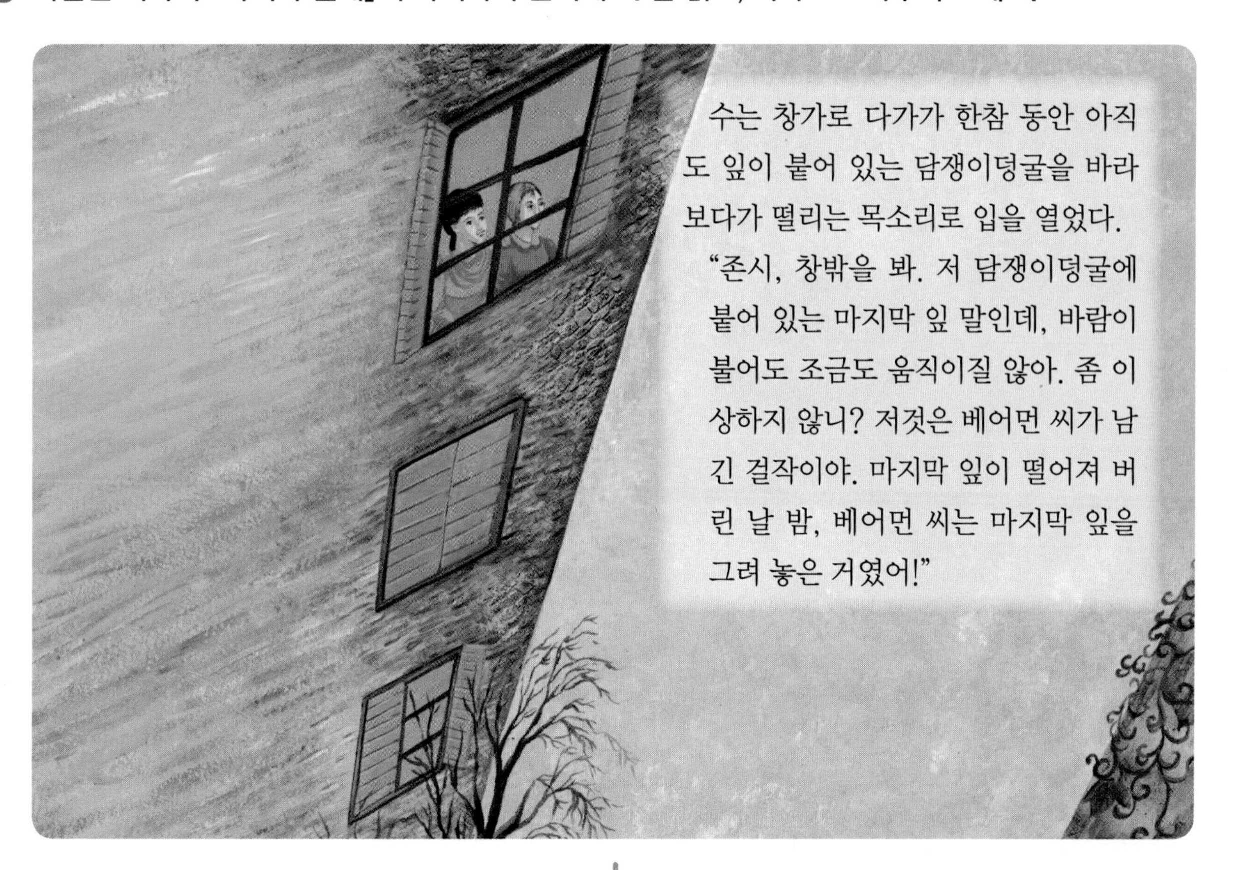

수는 창가로 다가가 한참 동안 아직도 잎이 붙어 있는 담쟁이덩굴을 바라보다가 떨리는 목소리로 입을 열었다.

"존시, 창밖을 봐. 저 담쟁이덩굴에 붙어 있는 마지막 잎 말인데, 바람이 불어도 조금도 움직이질 않아. 좀 이상하지 않니? 저것은 베어먼 씨가 남긴 걸작이야. 마지막 잎이 떨어져 버린 날 밤, 베어먼 씨는 마지막 잎을 그려 놓은 거였어!"

↓

- 때: 이틀 뒤
- 곳: 수와 존시의 침실
- 나오는 인물: 수, 존시

수: (______________________________

______________________________)

____

____

____

____

수의 표정이나 몸짓에 대한 묘사는 괄호 안에 지문으로 나타내요. 그리고 수가 한 말은 대사로 나타내요.

2일 희곡을 이야기로 바꾸어 쓰기

바꾸어 써라!

희곡을 이야기로 바꾸어 쓸 때에

배경이나 인물에 대한 소개가 나타난 해설은 이야기 속에 풀어서 제시해요.

인물의 표정이나 몸짓에 대한 묘사가 나타난 지문은 글로 설명하듯이 나타내고,

인물이 직접 한 말이 나타난 대사는 큰따옴표 안에 인물의 말을 써서 나타내요.

똑똑한 하루 글쓰기 미리 보기

▶정답 및 해설 17쪽

◉ 희곡을 이야기로 바꾸어 쓰는 방법에 맞게 빈칸에 알맞은 말을 쓰고, 퍼즐판에서 찾아 ○표를 하세요.

배경이나 인물에 대한 소개가 나타난 ❶ ☐☐ 은 이야기 속에 풀어서 제시해요.

인물의 표정이나 몸짓에 대한 묘사가 나타난 지문은 글로 ❷ ☐☐ 하듯이 나타내요.

해	돌	이	불
설	수	설	장
마	치	명	난
큰	따	옴	표

인물이 직접 한 말이 나타난 대사는 ❸ ☐☐☐☐ 안에 인물의 말을 써서 나타내요.

희곡을 이야기로 바꾸어 쓰기

◉ 다음 희곡을 읽고, 이야기로 바꾸어 쓰세요.

구둣방 할아버지와 요정들

원작: 그림 형제

- 때: 깜깜한 밤
- 곳: 구둣방
- 나오는 인물: 구둣방 할아버지, 할머니, 꼬마 요정 1 ~ 4

할아버지와 할머니가 문 뒤에서 구둣방 안을 엿보고 있다.

할아버지: (나지막한 목소리로) 누가 구두를 만들어 놓고 가는지 궁금하군. 오늘 밤은 잠을 자지 않고 몰래 엿봐야겠어.

꼬마 요정 1 ~ 4, 창문을 통해 구둣방 안으로 차례대로 들어온다.

꼬마 요정 1: (다른 꼬마 요정들을 바라보며 밝은 목소리로) 오늘도 착한 구둣방 할아버지를 위해 멋진 구두를 만들어 볼까?

어휘 풀이

- **구둣방**[방 방 房] 구두를 만들거나 고치거나 팔거나 하는 가게. ⓔ 구두를 고치러 구둣방에 갔다.
- **나지막한** 소리가 꽤 낮은. ⓔ 할머니께서 나지막한 목소리로 아빠를 부르셨다.

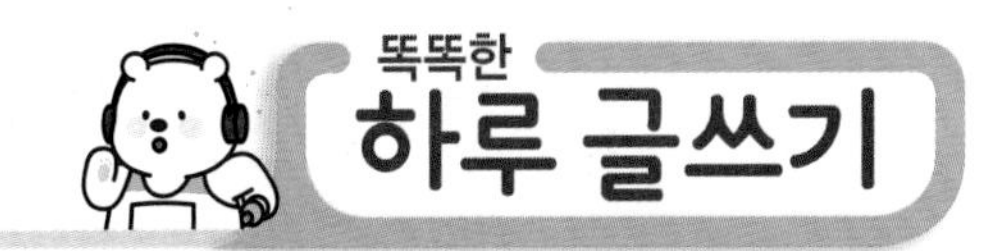

▶정답 및 해설 17쪽

낱말 쓰기

1단계 다음은 부분을 이야기로 바꾸어 쓴 것이에요. 빈칸에 알맞은 낱말을 쓰세요.

할머니와 함께 구둣방 문 뒤에 숨어 있던 할아버지께서는 ㄴ ㅈ ㅁ ㅎ 목소리로 말씀하셨어요.

"누가 구두를 만들어 놓고 가는지 궁금하군. 오늘 밤은 잠을 자지 않고 몰래 엿봐야겠어."

문장 쓰기

2단계 다음은 부분을 이야기로 바꾸어 쓴 것이에요. 빈칸에 알맞은 말과 문장 부호를 보기 에서 각각 골라 쓰세요.

창문을 통해 꼬마 요정들이 구둣방 안으로 들어왔어요. 꼬마 요정 하나가 다른 요정들을 바라보며 밝은 목소리로 말했어요.

착한 구둣방 할아버지를 위해 멋진

한 편 쓰기

3단계 1과 2에서 쓴 내용을 넣어 희곡 「구둣방 할아버지와 요정들」을 이야기로 바꾸어 쓰세요.

깜깜한 밤이 되었어요. 할머니와 함께 구둣방 문 뒤에 숨어 있던 할아버지께서는 ❶ ____

"누가 구두를 만들어 놓고 가는지 궁금하군. 오늘 밤은 잠을 자지 않고 몰래 엿봐야겠어."

창문을 통해 꼬마 요정들이 구둣방 안으로 들어왔어요. 꼬마 요정 하나가 다른 요정들을 바라보며 밝은 목소리로 말했어요.

❷ ____

3주

▶ 정답 및 해설 17쪽

1 낱말 고쳐쓰기

다음 문장의 밑줄 그은 낱말을 바르게 고쳐 쓰세요.

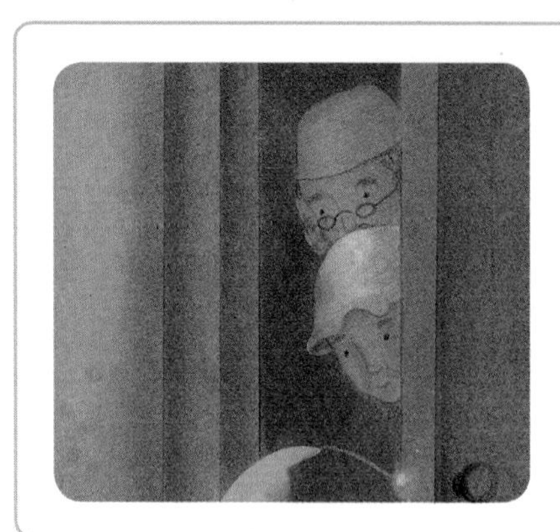

할아버지: (<u>나즈막한</u> 목소리로) 누가 구두를 만들어 놓고 가는지 궁금하군.

나	즈	막	한

↓

2 문장 고쳐쓰기

다음 친구가 고쳐 쓴 문장 처럼 밑줄 그은 부분을 고치고, 문장을 따라 쓰세요.

친구가 고쳐 쓴 문장

어제는 공부를 <u>안 하고</u> 게임만 했다.
→ 어제는 공부를 <u>하지 않고</u> 게임만 했다.

	오	늘	V	밤	은	V	잠	을	V	안	V	자	고	V
몰	래	V	엿	봐	야	겠	어	.						

↓

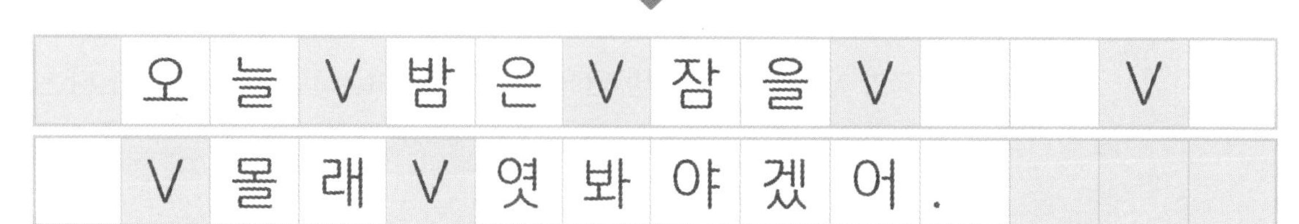

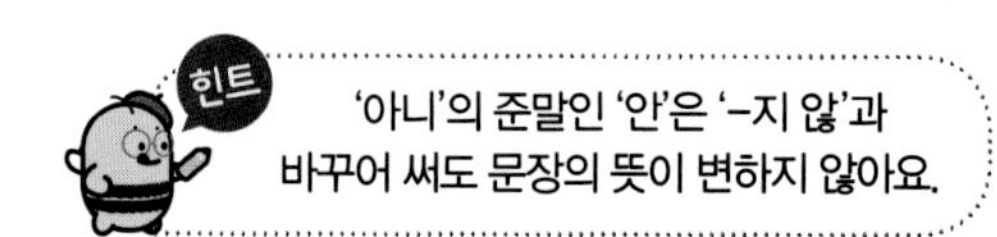

▶정답 및 해설 17쪽

다음은 희곡 「구둣방 할아버지와 요정들」의 뒷부분이에요. 잘 읽고, 이야기로 바꾸어 쓰세요.

- 때: 깜깜한 밤
- 곳: 구둣방
- 나오는 인물: 구둣방 할아버지, 할머니

할아버지: (고마워하는 표정과 결심한 말투로) 요정들에게 구두를 만들어 주어야겠어.

할머니: (미소를 지으며) 그럼 나는 예쁜 옷을 지어 주어야지.

↓

"요정들에게 구두를 만들어 주어야겠어."

힌트

할아버지와 할머니의 표정이나 몸짓에 대한 묘사가 나타난 지문은 글로 설명하듯이 나타내고, 할아버지와 할머니의 대사는 큰따옴표 안에 인물의 말을 써서 나타내요.

3일 시를 이야기로 바꾸어 쓰기

시를 이야기로 바꾸어 쓸 때에는 먼저 시의 상황을 파악해요.
그런 다음 이야기에서 말하는 이를 정하고, 시간과 장소,
사건의 전개 과정을 정리하여 내용을 자세히 쓰면 돼요.

▶정답 및 해설 18쪽

● 시를 이야기로 바꾸어 쓰는 방법에 맞게 빈칸에 알맞은 말을 따라 쓰세요.

시를 이야기로 바꾸어 쓸 때에는 먼저 시의 상 황 을 파악해요. 그런 다음 이야기에서 말 하 는 이 를 정하고, 시 간 과 장 소 , 사 건 의 전개 과정을 정리하여 내용을 자세히 쓰면 돼요.

3주

● 위에서 따라 쓴 말을 모두 찾아 색칠해 보고, 어떤 모양이 나오는지 알아보아요.

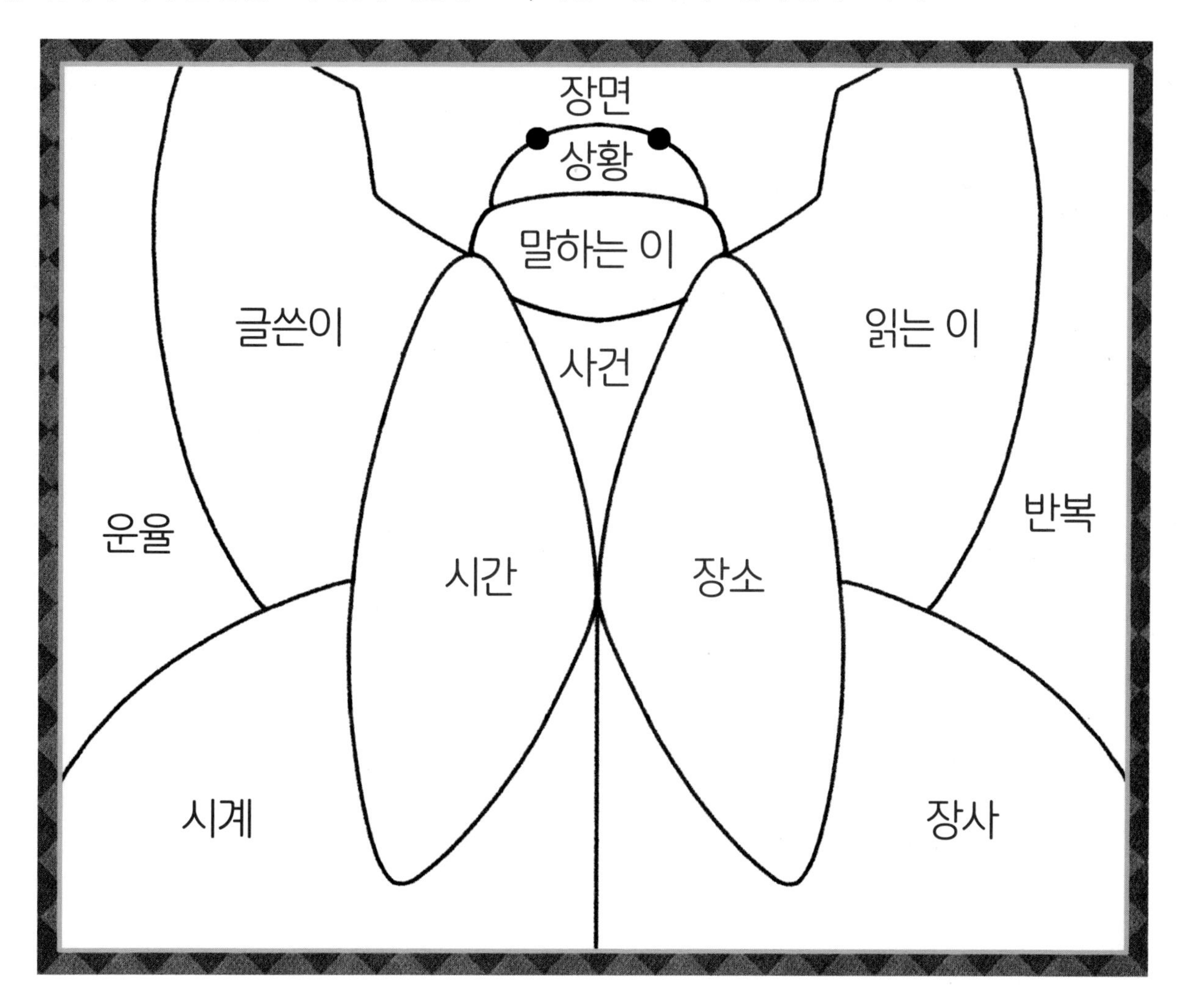

시를 이야기로 바꾸어 쓰기

다음 시를 읽고, 이야기로 바꾸어 쓰세요.

매미

김양수

▼숨죽여 살금살금
나무에 다가가서

한 손을 쭈욱 뻗어
▼잽싸게 덮쳤는데

손 안에 남아 있는 건
매암매암 울음뿐.

어휘 풀이

▼**숨죽여** 숨소리가 들리지 않을 정도로 조용히 하여.
예 나는 숨죽여 누나의 통화 내용을 엿들었다.
▼**잽싸게** 눈치나 동작이 매우 빠르게.
예 다솔이가 잽싸게 닭 다리를 집었다.

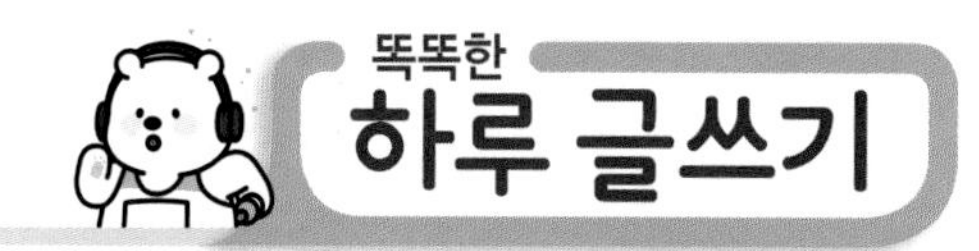

▶ 정답 및 해설 18쪽

낱말 쓰기

다음은 시 「매미」를 이야기로 바꾸어 쓸 때에 말하는 이, 시간과 장소를 정리한 것이에요. 빈칸에 알맞은 낱말을 쓰세요.

- 이야기에서 말하는 이: 나
- 시간: ㅇ ㄹ ㅂ ㅎ
- 장소: 할머니 댁 뒤꼍

문장 쓰기

시 「매미」의 내용을 떠올려 보고, '나'에게 일어난 사건의 전개 과정을 보기 에서 알맞은 말을 골라 각각 쓰세요.

보기

나무에 　 있었다 　 텅 비어 　 다가갔다

나는 숨죽여 살금살금 ______________ . 그러고는 잽싸게 한 손을 뻗어 매미를 낚아챘다. 분명히 매미를 잡은 줄만 알았는데, 손 안은 ______________ .

한 편 쓰기

1과 2에서 쓴 내용을 넣어 시 「매미」를 이야기로 바꾸어 쓰세요.

❶ □□□□이 되어 할머니 댁으로 놀러 갔다. 매미 한 마리가 뒤꼍에 있는 나무에 앉아 매암매암 신나게 노래를 부르고 있었다. ❷ ______________

____

____

____

나무에 앉아 노래하던 매미는 보이지 않는데 여전히 매암매암 매미의 노랫소리는 끊이지 않았다. 아쉬운 마음에 애꿎은 나무만 발로 찼다.

3주

▶정답 및 해설 18쪽

1 낱말 고쳐쓰기

다음 밑줄 그은 낱말 대신 바꿔 쓰기에 알맞은 낱말을 보기 에서 골라 바꿔 쓰세요.

보기

가만가만 슬금슬금 조심조심

숨죽여 살금살금
나무에 다가가서

↓

숨죽여 □□□□
나무에 다가가서

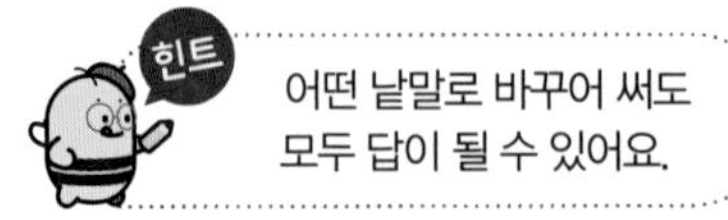

힌트 어떤 낱말로 바꾸어 써도 모두 답이 될 수 있어요.

2 문장 고쳐쓰기

다음 문장에서 밑줄 그은 부분의 띄어쓰기를 바르게 고치고, 문장을 따라 쓰세요.

매미 한마리가 뒤 곁에 있는 나무에 앉아 매암매암 신나게 노래를 부르고 있었다.

↓

	매	미	V		V				V				V	
있	는	V	나	무	에	V	앉	아	V	매	암	매	암	V
신	나	게	V	노	래	를	V	부	르	고	V	있	었	
다	.													

힌트 '마리'와 같이 단위를 나타내는 낱말은 앞말과 띄어 써야 해요. 그리고 '뒤꼍'은 '집 뒤에 있는 뜰이나 마당.'이라는 뜻의 한 낱말이므로 붙여 써야 해요.

▶정답 및 해설 18쪽

다음 시를 읽고, 이야기로 바꾸어 썼어요. 빈칸에 3연의 내용을 써넣어 이야기를 완성하세요.

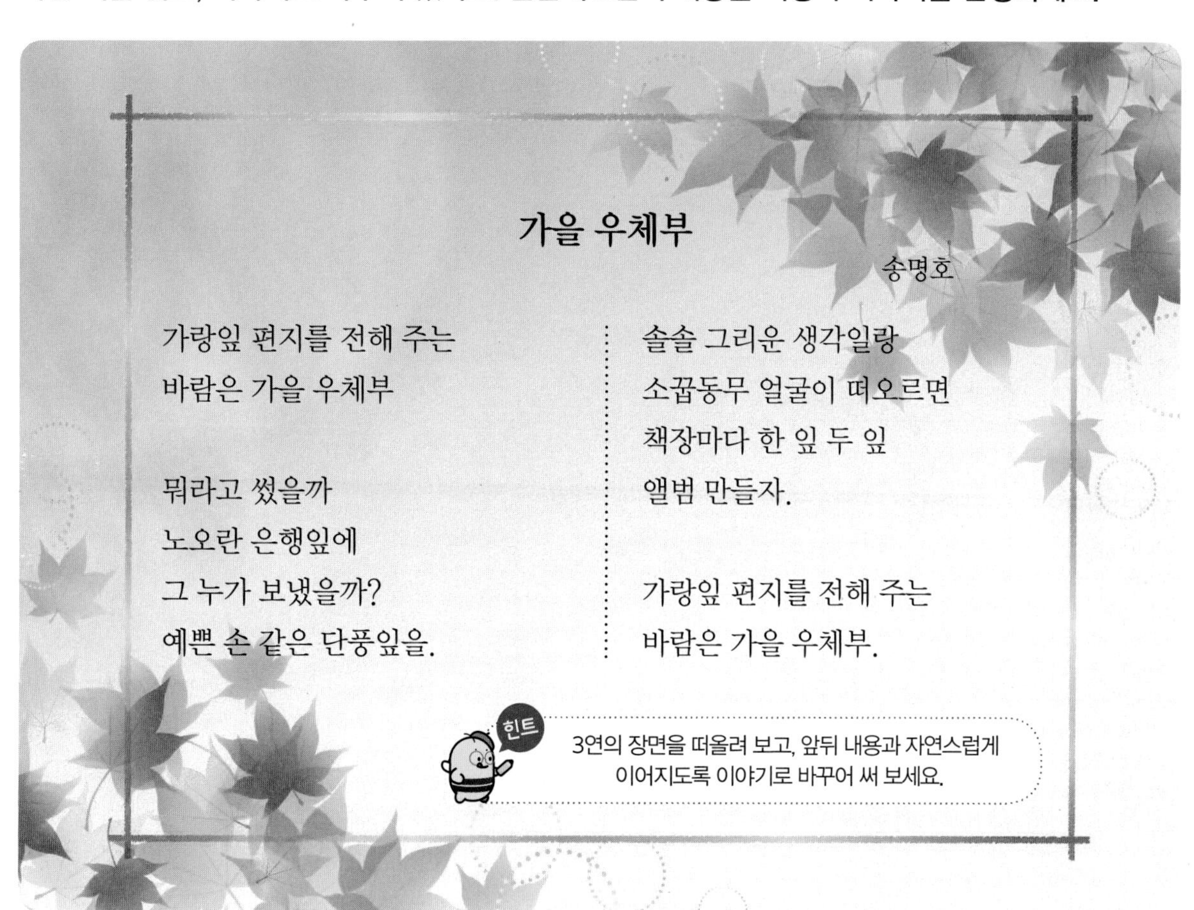

가을 우체부

송명호

가랑잎 편지를 전해 주는
바람은 가을 우체부

뭐라고 썼을까
노오란 은행잎에
그 누가 보냈을까?
예쁜 손 같은 단풍잎을.

솔솔 그리운 생각일랑
소꿉동무 얼굴이 떠오르면
책장마다 한 잎 두 잎
앨범 만들자.

가랑잎 편지를 전해 주는
바람은 가을 우체부.

뒷산으로 산책을 나갔다. 가을바람이 솔솔 불자 가랑잎 하나가 내 발밑으로 떨어졌다. 가랑잎을 주우려고 보니 노란색 옷을 입은 은행잎들과 예쁜 손을 닮은 단풍잎들이 수북이 쌓여 있었다.

가랑잎을 보내 보고 싶은 친구와의 가을 추억을 떠올리게 해 준 가을바람이 좋은 소식을 전해 주는 우체부처럼 느껴졌다.

이야기를 시로 바꾸어 쓰기

이야기를 시로 바꾸어 써라!

이야기를 시로 바꾸어 쓸 때에는 시에서 말하는 이를 정한 다음,
이야기의 내용을 짧고 운율이 있는 말로 바꾸어 써야 해요.
내용이 바뀌는 부분에서는 연을 바꾸어야 하고,
반복되는 말이나 빗대어 표현하는 말 등을 넣어 쓰면 좋아요.

▶정답 및 해설 19쪽

◉ 이야기를 시로 바꾸어 쓰는 방법에 맞게 빈칸에 알맞은 말을 쓰고, 퍼즐판에서 찾아 ○표를 하세요.

❸ 되는 말이나 빗대어 표현하는 말 등을 넣어 쓰면 좋아요.

3주

이야기를 시로 바꾸어 쓰기

● 다음 이야기를 읽고, 시로 바꾸어 쓰세요.

할미꽃 이야기

할머니는 시집간 손녀 옥이가 너무나 보고 싶었어요. 옥이의 집으로 가는 길은 멀고도 험했지만, 할머니는 오직 옥이를 보고 싶은 마음에 한 걸음 한 걸음 힘겹게 나아갔지요. 가파른 고개가 한두 개가 아니었고, 고갯마루에는 눈까지 쌓여 있었어요. 결국 할머니는 옥이도 만나지 못한 채 눈이 쌓인 고갯마루에 쓰러지고 말았어요.

동장군이 물러가고, 이듬해 봄이 되었어요. 옥이는 아기를 업고 언덕 위를 올랐어요. 언덕에 오르면 할머니 계신 집이 보일 것만 같았거든요. 할머니를 생각하니 옥이의 눈시울이 뜨거워졌어요.

그때였어요. 옥이가 무심코 발밑을 내려다보니, 힘없이 고개를 숙인 꽃 한 송이가 피어 있었어요. 옥이는 그 꽃을 보며 등이 굽은 할머니를 떠올렸어요. 옥이는 할머니가 그리울 때면 언덕에 올라 그 꽃을 바라보며 마음을 달랬죠. 그 꽃이 바로 할미꽃이랍니다.

어휘 풀이

- **가파른** 산이나 길이 몹시 기울어져 있는. ㉧ 가파른 언덕길을 오르느라 숨이 찼다.
- **고갯마루** 고개에서 가장 높은 자리. ㉧ 고갯마루에 오르자 마을이 한눈에 들어왔다.
- **동장군**| 겨울 동 冬, 장수 장 將, 군사 군 軍| 겨울 장군이라는 뜻으로, 혹독한 겨울 추위를 빗대어 이르는 말. ㉧ 올겨울은 유독 동장군이 기승을 부려 지내기가 힘들었다.

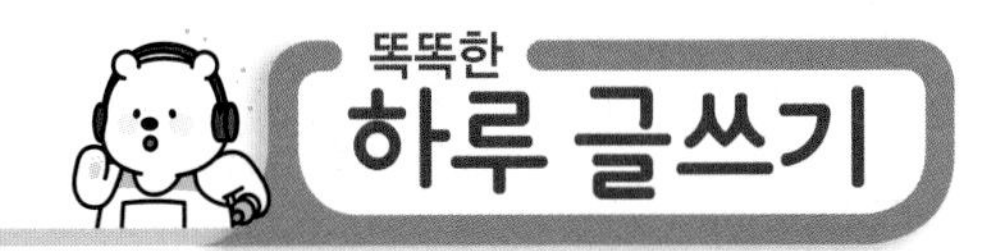

▶ 정답 및 해설 19쪽

낱말 쓰기

다음은 「할미꽃 이야기」에서 부분을 시로 바꾸어 쓴 것이에요. 빈칸에 알맞은 낱말을 쓰세요.

보고 싶은 ㅎ ㅁ ㄴ 보일까 싶어
어제, 또 오늘
언덕을 오르고, 또 오르다가

문장 쓰기

다음은 「할미꽃 이야기」에서 부분을 시로 바꾸어 쓴 것이에요. 빈칸에 알맞은 말을 보기 에서 각각 골라 쓰세요.

보기

할머니 | 등이 굽은 | 색이 고운

손녀는
발밑에 고개 숙인 꽃 한 송이에
를 떠올리네

한 편 쓰기

1과 **2**에서 쓴 내용을 넣어 이야기 「할미꽃 이야기」를 시로 바꾸어 쓰세요.

보고 싶은 손녀 찾아 한 고개, 또 한 고개 넘고, 또 넘다가	❶ 보고 싶은 ______ ______ 언덕을 오르고, 또 오르다가
할머니는 눈이 쌓인 고갯마루에 쓰러지네	손녀는 ❷ ______ ______

▶ 정답 및 해설 19쪽

1 낱말 고쳐쓰기

다음 문장에서 밑줄 그은 낱말을 알맞은 높임말로 고쳐 쓰세요.

언덕에 오르면 할머니 있는 집이 보일 것만 같았거든요.

있 는 →

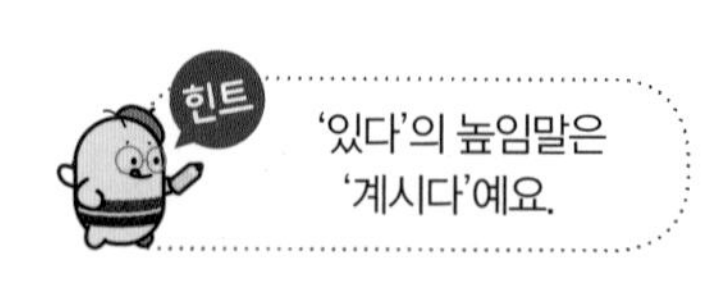

2 문장 고쳐쓰기

다음 문장에서 밑줄 그은 낱말을 각각 바르게 고치고, 문장을 따라 쓰세요.

↓

수량이 하나나 둘임을 나타내는 말은 '한두'이고, '고개'와 '마루'가 합쳐져 한 낱말이 될 때에는 'ㅅ'을 더해 써요. 또 '여러 개의 물건이 겹겹이 포개어져 놓여.'라는 뜻의 낱말은 [싸여]라고 소리 나지만 '쌓여'라고 써야 해요.

▶정답 및 해설 19쪽

● 다음 이야기를 읽고, 시로 바꾸어 쓰세요.

뭐든지 거꾸로 하는 청개구리

옛날에, 뭐든지 거꾸로만 하는 청개구리가 살았어요. 동쪽으로 가라 하면 서쪽으로 가고, 그만 일어나야지 하면 해가 중천에 뜨도록 쿨쿨 잠만 잤죠.

청개구리가 속을 썩여서인지 엄마 개구리는 큰 병이 나고 말았어요.

"아들아, 엄마가 죽거든 꼭 냇가에 묻어 다오."

엄마 개구리는 청개구리가 뭐든지 거꾸로만 하니 냇가에 묻으라고 하면 산에다 묻을 줄 알고 그렇게 말한 것이에요.

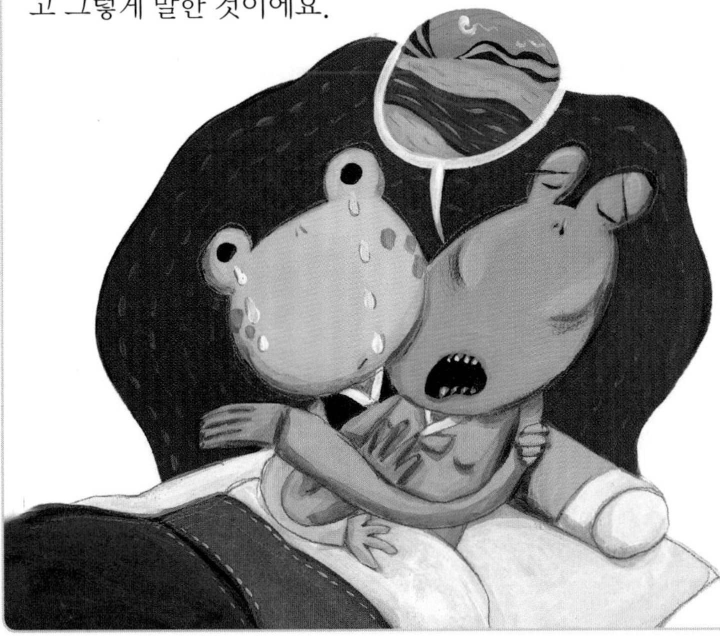

하지만 엄마 개구리가 죽자 청개구리는 철이 들어 마지막 엄마 소원을 꼭 지키기로 결심하고 엄마 개구리를 냇가에 묻었지요.

그래서 청개구리는 비만 오면 제 엄마 무덤이 떠내려갈까 봐 개굴개굴 운대요.

▼**중천** 하늘의 한가운데.

▼**철** 잘못된 이치나 생각을 분별할 줄 아는 힘.

↓

굴개굴개
뭐든지 거꾸로 하는 청개구리

엄마 무덤 떠내려갈까 봐
개굴개굴

거꾸로만 하던 것이 후회되어
개굴개굴

이야기의 내용을 짧고 운율이 있는 말, 반복되는 말 등을 이용하여 시로 바꾸어 써 보세요.

이야기를 만화로 바꾸어 쓰기

이야기를 만화로 바꾸어 써라!

이야기를 만화로 바꾸어 쓸 때에는
이야기의 배경, 인물, 사건을 몇 개의 장면으로 나누어 그린 다음,
말풍선 안에 대화를 넣어 나타내요.

▶정답 및 해설 20쪽

그림에 맞는 퍼즐 모양을 찾아 선으로 잇고, 이야기를 만화로 바꾸어 쓰는 방법을 알아보아요.

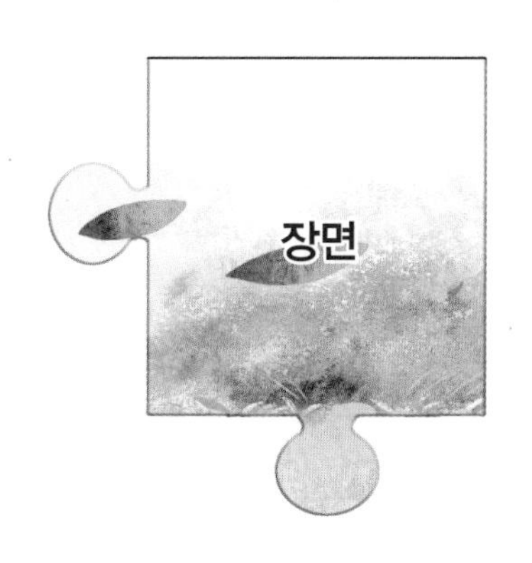

이야기를 만화로 바꾸어 쓰는 방법을 생각하며 다음 문장을 따라 쓰세요.

	며	느	리	는	V	시	원	스	럽	게	V	방	귀
를	V	뀌	었	어	.								

이야기를 만화로 바꾸어 쓰기

● 다음 이야기를 읽고, 만화로 바꾸어 쓰세요.

방귀쟁이 며느리

옛날에 부잣집으로 시집을 온 한 며느리가 하루하루 갈수록 얼굴이 노래졌어. 시아버지는 걱정이 되어 무엇 때문에 아프냐고 몇 번이나 물었지. 며느리는 할 수 없이 대답했어.

"사실은 방귀를 뀌고 싶은데 못 뀌어서 그래요."

"며늘아기야, 괜찮으니까 방귀를 뀌어라."

그러자 며느리는 시원스럽게 방귀를 뀌었어. 그런데 방귀가 얼마나 센지 집안이 풍비박산이 났지 뭐야.

어휘 풀이

▼ **며늘아기** 아들의 아내인 '며느리'를 귀엽게 이르는 말.

㉠ 시아버지께서 다정한 목소리로 "며늘아기야!" 하고 부르셨다.

▼ **풍비박산** |바람 풍 風, 날 비 飛, 누리 박 雹, 흩을 산 散| 사방으로 날아 흩어짐.

㉠ 사업에 실패하며 집안이 풍비박산 났다.

▶정답 및 해설 20쪽

낱말 쓰기

다음은 이야기 「방귀쟁이 며느리」의 내용을 네 개의 장면으로 나누어 정리한 것이에요. 빈칸에 알맞은 낱말을 보기 에서 각각 골라 쓰세요.

보기

노래 방귀 괜찮으니 편찮으니

장면 ❶	부잣집에 시집을 온 며느리가 하루하루 갈수록 얼굴이 노래짐.
장면 ❷	시아버지가 걱정이 되어 묻자 며느리는 ☐☐를 못 뀌어서 그렇다고 대답함.
장면 ❸	시아버지가 ☐☐☐☐ 방귀를 뀌라고 함.
장면 ❹	며느리가 방귀를 뀌자 집안이 풍비박산이 남.

문장 쓰기

1에서 정리한 내용을 바탕으로 이야기 「방귀쟁이 며느리」를 만화로 바꾸어 쓰세요.

▶ 정답 및 해설 20쪽

1 낱말 고쳐쓰기

다음 문장에서 밑줄 그은 낱말을 바르게 고쳐 쓰세요.

방귀가 얼마나 센지 집안이 풍지박산이 났지 뭐야.

↓

2 문장 고쳐쓰기

다음 문장에서 밑줄 그은 부분의 띄어쓰기를 바르게 고치고, 문장을 따라 쓰세요.

옛날에 부잣집으로 시집을 온 한며느리가 하루하루 갈 수록 얼굴이 노래졌어.

↓

	옛	날	에	V	부	잣	집	으	로	V	시	집	을 V
온	V		V					V	하	루	하	루	V
			V	얼	굴	이	V	노	래	졌	어	.	

힌트

'한'은 '어떤'의 뜻을 나타내는 말로 뒤에 오는 말과 띄어 써야 하고, '-ㄹ수록'은 앞의 말이 나타내는 정도가 심해지면 뒤의 말이 나타내는 내용의 정도도 그에 따라 변함을 나타내는 말로 앞말과 붙여 써야 해요.

▶정답 및 해설 20쪽

「방귀쟁이 며느리」의 뒷이야기를 만화로 바꾸어 썼어요. 「방귀쟁이 며느리」의 뒷이야기를 잘 읽고, 밑줄 그은 부분에 알맞은 그림을 빈칸에 그리고 말풍선 안에 대화를 써넣어 만화를 완성하세요.

방귀쟁이 며느리 뒷이야기

시아버지는 며느리의 방귀로 풍비박산이 난 집을 보며 어쩔 수 없이 며느리를 친정으로 돌려보내기로 했어. 며느리는 시아버지와 함께 친정으로 가는 길에 비단 장수들을 만났어. 이 사람들은 길가에 있는 배나무에 열린 배가 너무 먹고 싶어 배를 따 주면 비단을 절반 뚝 떼어 주겠다고 말했어. 그 이야기를 들은 며느리는 배나무에 엉덩이를 대고 시원스럽게 방귀를 뀌었지. 그러자 배가 후드득 떨어지지 뭐야. 결국 며느리는 귀한 비단을 얻어 시아버지와 함께 시댁으로 돌아갔대.

↓

방귀쟁이 며느리가 방귀를 뀌어 배를 따는 장면에 어울리는 그림을 그리고 말풍선 안에 대화를 써넣어 만화를 완성해 보세요.

3주

생활 어휘 다음 만화를 보며 속담의 뜻을 알아보고, 상황에 맞게 속담을 써 보세요.

수박 겉 핥기

▶정답 및 해설 21쪽

속담의 뜻을 알아봐요!

수박 겉 핥기

이 속담은 "맛있는 수박을 먹는다는 것이 딱딱한 겉만 핥고 있다는 뜻으로, 사물의 속 내용은 모르고 겉만 건드리는 일을 빗대어 이르는 말."이랍니다.

이제 이 속담을 넣어 상황에 맞게 써 볼까요?

"☐☐☐☐☐"라더니 동생은 책장만 넘겨 보고 책을 다 읽었다고 말했다.

◎ 「구둣방 할아버지와 요정들」에 나오는 요정들이 구둣방으로 가고 있어요. 어떤 낱말의 뜻인지 알맞은 답을 찾아 따라 쓰며, 구둣방으로 가는 길을 선으로 이어 보세요.

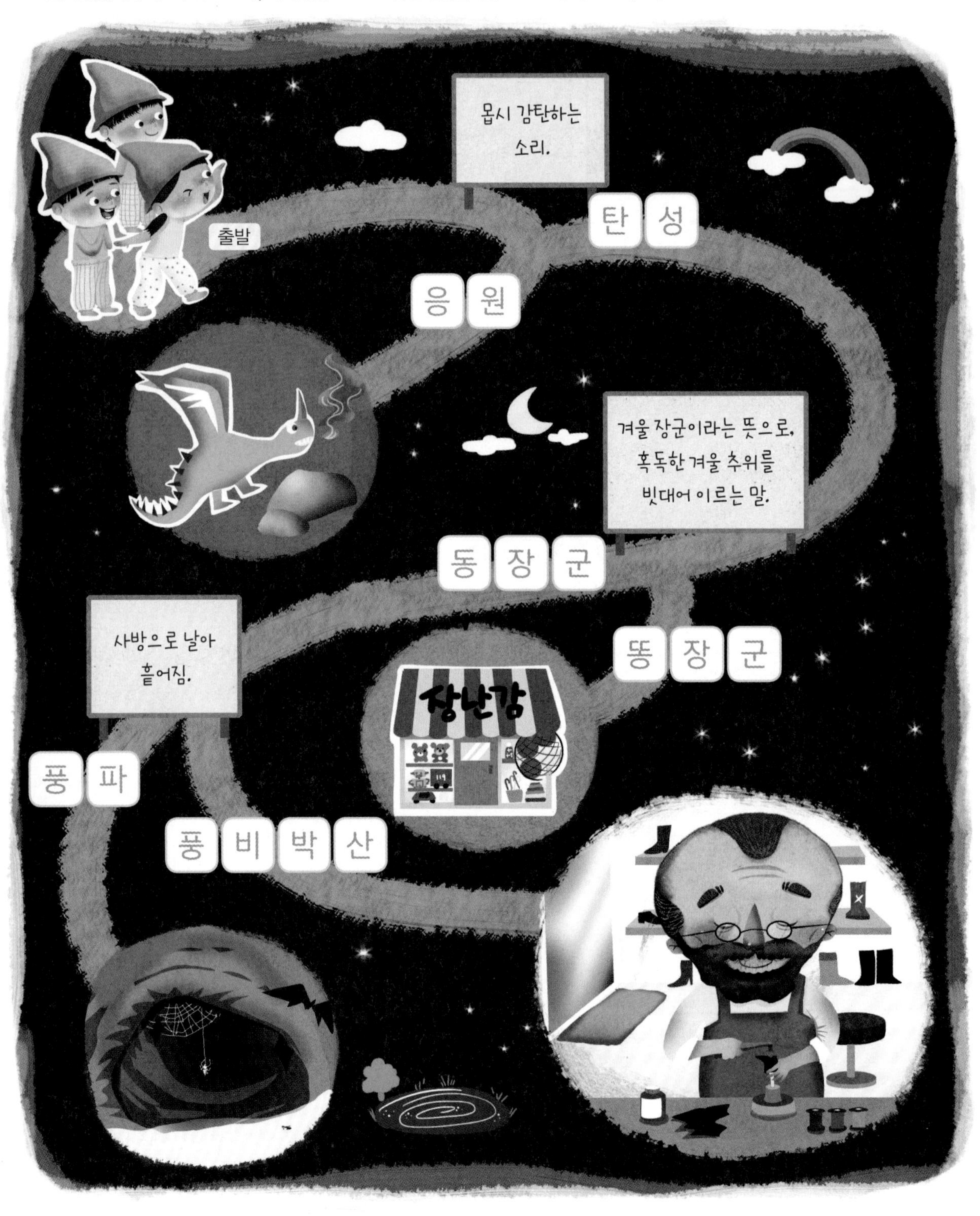

창의 3주에 나왔던 **낱말과 그 뜻**을 익히며 구둣방으로 가는 길을 찾아 봅니다.

▶정답 및 해설 21쪽

◉ 다음 만화를 읽고, 매미에 대한 설명으로 알맞은 말을 골라 ◯표를 하세요.

매미는 (수컷 , 암컷)만 소리를 낼 수 있어요.

융합 국어+과학

시 「매미」의 내용을 떠올려 보고, **매미가 내는 소리**에 대해 알아봅니다.

다음 코딩 명령을 따라가면 「할미꽃 이야기」에 나오는 손녀 옥이의 집을 찾을 수 있어요. 옥이의 집을 찾아 ◯표를 하세요.

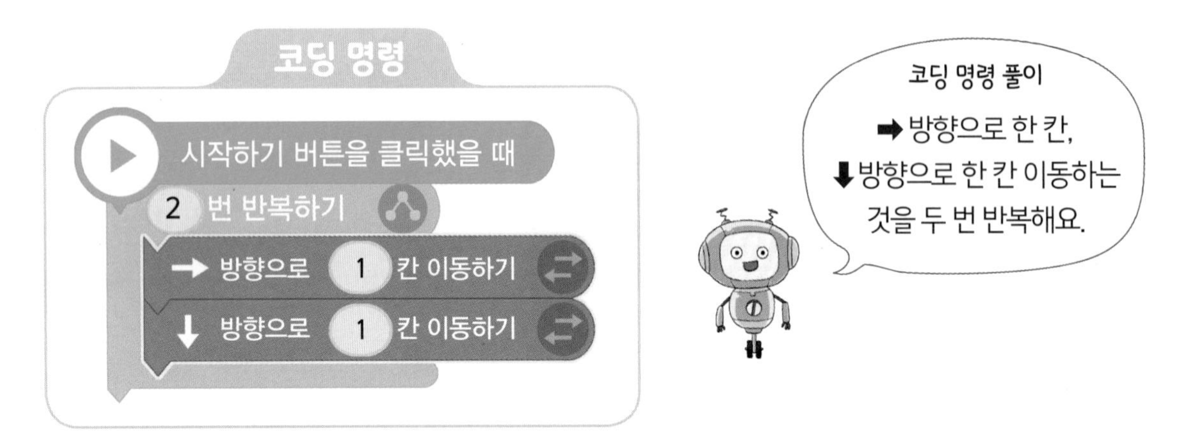

코딩 이야기 「할미꽃 이야기」의 내용을 떠올려 보고, **코딩 명령**에 따라 손녀 옥이의 집을 찾아 봅니다.

▶정답 및 해설 21쪽

다음 그림을 보고, 「방귀쟁이 며느리」에 나오는 며느리는 몇 필의 비단을 얻게 되었는지 빈칸에 알맞은 숫자를 각각 쓰세요.

• 식: 50 ÷ ☐

• 답: ☐ 필

융합 국어+수학 이야기 「방귀쟁이 며느리」의 내용을 떠올리며 **(몇십) ÷ (몇) 나눗셈**을 해 봅니다.

3주 누구나 100점 테스트

1 이야기를 희곡으로 바꾸어 쓰는 방법에 알맞은 말을 골라 ○표를 하세요.

> 인물의 표정이나 몸짓에 대한 묘사는 괄호 안에 (해설 , 지문 , 대사)(으)로 나타내요.

[2~3] 다음 글을 읽고, 물음에 답하세요.

> 수는 밤새 뒤척이며 밤을 ㉠지새울수밖에 없었다.
> '내일 아침 존시가 마지막 잎새마저 떨어져 버린 담쟁이덩굴을 보게 되면 정말로 죽을지도 몰라.'
> 다음 날 아침, 수가 눈을 떴을 때 존시는 흐린 눈으로 멍하니 앉아 있었다.
> ㉡"수, 커튼을 걷어 줘. 창밖을 보고 싶어."

2 ㉠을 알맞게 띄어 쓴 것을 골라 ○표를 하세요.

(1) 지새울수∨밖에 (　　)
(2) 지새울∨수밖에 (　　)
(3) 지새울∨수∨밖에 (　　)

3 다음은 이 이야기에서 ㉡ 부분을 희곡으로 바꾸어 쓴 것이에요. 빈칸에 알맞은 말을 쓰세요.

> [　　　]: (힘없는 목소리로) 수, 커튼을 걷어 줘. 창밖을 보고 싶어.

[4~5] 다음 글을 읽고, 물음에 답하세요.

> - **때**: 깜깜한 밤
> - **곳**: 구둣방
> - **나오는 인물**: 구둣방 할아버지, 할머니, 꼬마 요정 1 ~ 4
>
> 할아버지와 할머니가 문 뒤에서 구둣방 안을 엿보고 있다.
>
> **할아버지**: (㉠) ㉡누가 구두를 만들어 놓고 가는지 궁금하군.

4 (㉠) 안에 들어갈 알맞은 지문은 무엇인가요? (　　　)

① 춤을 추며
② 큰 목소리로
③ 가죽을 자르며
④ 바느질을 하며
⑤ 나지막한 목소리로

글쓰기

5 이 희곡을 이야기로 바꾸어 쓰려고 해요. ㉡ 부분을 어떻게 바꾸어 써야 할지 빈칸에 알맞은 문장 부호를 쓰고, 문장을 따라 쓰세요.

		누	가	V	구	두	를 V
	만	들	어	V	놓	고	V
	가	는	지	V	궁	금	하
	군						

▶정답 및 해설 22쪽

[6~7] 다음 시를 읽고, 물음에 답하세요.

숨죽여 ㉠살금살금
나무에 다가가서

한 손을 쭈욱 뻗어
잽싸게 덮쳤는데

㉡손 안에 남아 있는 건
매암매암 울음뿐.

6 ㉠과 바꾸어 쓸 수 있는 낱말을 모두 고르세요.
( )

① 가만가만 ② 뚜벅뚜벅
③ 슬금슬금 ④ 조심조심
⑤ 쿵쾅쿵쾅

글쓰기

7 다음은 이 시의 ㉡ 부분을 이야기로 바꾸어 쓴 것이에요. **보기** 에서 알맞은 내용을 골라 빈칸에 써넣으세요.

보기

손 안은 텅 비어 있었다.

손 안에서 매미가 움직였다.

	분	명	히		매	미	를
잡	은		줄	만		알	았
는	데	,					

[8~9] 다음 글을 읽고, 물음에 답하세요.

옥이가 무심코 발밑을 내려다보니, 힘없이 고개를 숙인 꽃 한 송이가 피어 있었어요. 옥이는 그 꽃을 보며 등이 굽은 할머니를 떠올렸어요. 옥이는 할머니가 그리울 때면 언덕에 올라 그 꽃을 바라보며 마음을 달랬죠. 그 꽃이 바로 할미꽃이랍니다.

8 옥이는 어떤 꽃을 보고 할머니를 떠올렸는지 글에서 찾아 세 글자로 쓰세요.
( )

9 다음은 이 이야기를 시로 바꾸어 쓴 것이에요. 빈칸에 알맞은 낱말을 글에서 찾아 쓰세요.

손녀는
발밑에 고개 숙인 꽃 한 송이에
등이 굽은 ☐☐☐를 떠올리네

10 이야기를 만화로 바꾸어 쓰는 방법에 알맞은 말을 골라 ○표를 하세요.

이야기의 배경, 인물, 사건을 몇 개의 장면으로 나누어 그린 다음, (말풍선 , 큰따옴표) 안에 대화를 넣어 나타내요.

3 주

4주

4주에는 무엇을 공부할까? ①

미래의 나와 친구들의
모습을 상상해서 미래
일기를 쓰면 어떨까요?

미래...

얘들아~.

밤톨아,
왜 그러니?
어휴, 또 혼자 이상한
상상을 했을 거예요.
흑 흑..

학급 문집을 써 보자!

4주 4주에는 무엇을 공부할까? ❷

1-1 학급에서 학생들이 쓴 시나 글을 엮어서 만든 책을 무엇이라고 하는지 쓰세요.

ㅎ ㄱ ㅁ ㅈ

1-2 다음 친구들의 대화를 읽고, [   ] 안에 들어갈 말을 보기 에서 골라 ○표를 하세요.

이번에 한 학년을 마치면서 우리 반 친구들이 쓴 시나 글을 엮어서 책을 만든대.

그렇다면 나도 한 학년을 마치며 떠오르는 감상을 써서 [   ] 에 실어야지.

보기

가족 신문 광고 영상 학급 문집 발표 자료

▶정답 및 해설 23쪽

2-1 한 학년을 같이 보낸 친구에게 편지를 쓸 때 쓸 내용으로 알맞지 않은 것에 ×표를 하세요.

(1) 헤어지는 아쉬움을 쓴다. (　　)

(2) 미래에 대한 덕담을 전한다. (　　)

(3) 지내 오면서 전하지 못했던 마음을 쓴다. (　　)

(4) 미래에 어른이 된 자신의 모습을 상상해서 쓴다. (　　)

2-2 다음 편지에서 전하는 것은 무엇인지 빈칸에 알맞은 낱말을 보기 에서 골라 쓰세요.

정민이에게

정민아, 안녕? 나 민지야. 엊그제 만난 것 같은데 벌써 일 년이 지나 헤어질 때가 되었구나. 시간이 좀 더 있었으면 더 친해질 수 있었을 텐데 아쉽다. 너는 나중에 커서 피아노 연주자가 되고 싶다고 했지? 너는 분명 훌륭한 연주자가 될 수 있을 거야.

네가 항상 잘 지내길 바랄게. 안녕.

20○○년 12월 15일 / 민지가

보기

미움　　아쉬움　　덕담　　미안함

→ 친구와 헤어지게 된 ______ 과 ______ 을 전하고 있다.

4주

1일 한 학년을 마치며 떠오르는 감상 쓰기

한 학년을 마치며 떠오르는 감상을 글로 써라!

학급 문집은 학급에서 학생들이 쓴 시나 글을 엮어서 만든 책이에요.
한 학년을 마무리하며 만드는 학급 문집에는 다양한 내용의 글을 실을 수 있어요.
먼저 한 학년을 마치며 떠오르는 감상을 글로 써 보아요.
한 학년을 마치며 드는 전체적인 생각이나 느낌을 적어도 좋고,
가장 기억에 남는 일을 떠올려 그에 대한 생각이나 느낌을 적어도 좋아요.

▶정답 및 해설 23쪽

◉ 그림에 맞는 퍼즐 모양을 찾아 선으로 잇고, 한 학년을 마치며 떠오르는 감상을 글로 쓰는 방법을 알아보아요.

한 학년을 마치며 떠오르는 감상을 글로 쓰는 방법을 생각하며 다음 문장을 따라 쓰세요.

	우	리	V	반	이	V	피	구	V	대	회	에	서	V
우	승	했	던	V	일	이	V	가	장	V	기	억	에	V
남	는	다	.	우	승	하	던	V	순	간	이	V	마	
치	V	꿈	처	럼	V	느	껴	졌	다	.				

1일 한 학년을 마치며 떠오르는 감상 쓰기

◉ 다음 민우와 반 친구들의 대화를 읽고, 한 학년을 마치며 떠오르는 감상을 글로 써 보세요.

어휘 풀이

▼**합창**| 합할 합 合, 부를 창 唱 | 여러 사람이 여러 음으로 나뉘어 서로 조화를 이루면서 다른 선율로 노래를 부름. 또는 그 노래. 예 합창에서는 여러 사람의 목소리가 잘 어울리는 것이 중요하다.

▼**섭섭하지** 서운하고 아쉽지. 예 내가 전학 가는데 섭섭하지 않니?

▼**추억**| 쫓을 추 追, 생각할 억 憶 | 지나간 일을 돌이켜 생각함. 또는 그런 생각이나 일. 예 오늘 고생을 했지만 지나고 보면 좋은 추억이 될 것이다.

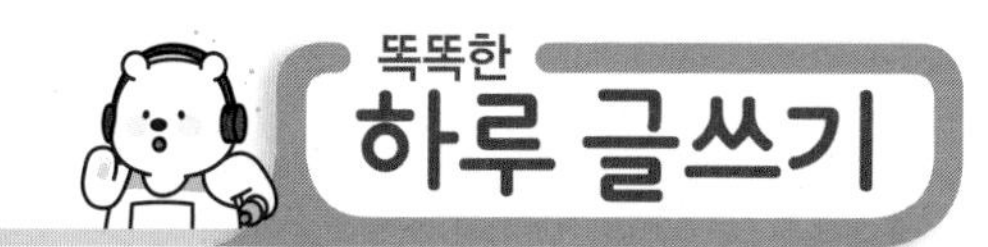

▶ 정답 및 해설 23쪽

낱말 쓰기

1단계 다음 그림을 보고, 민우가 한 학년 동안 가장 기억에 남는 일은 무엇인지 보기 에서 골라 알맞은 말을 쓰세요.

보기
독서 대회 / 합창 대회 / 그림 대회

반 친구들과 함께 전국 ☐☐☐☐ 에 나간 일이 가장 기억에 남는다.

문장 쓰기

2단계 보기 에서 알맞은 말을 골라 1에서 답한 일에 대한 생각이나 느낌을 한 문장으로 쓰세요.

보기
소중한 추억 / 행복하지 않았다 / 섭섭하지 않았다

비록 상을 받지는 못했지만 함께 모여 연습하며 친구들과 ______을 만들 수 있어서 전혀 ______.

한 편 쓰기

3단계 1과 2에서 쓴 내용을 넣어 민우가 한 학년을 마치며 떠오르는 감상을 쓴 글을 완성하세요.

또다시 한 학년이 끝난다고 생각하니 아쉬움과 함께 친구들과 함께했던 즐거웠던 추억이 떠오른다. 그중에서도 반 친구들과 함께 ❶ ______________________ 이 가장 기억에 남는다. 비록 상을 받지는 못했지만 ❷ ______________________

앞으로도 이 소중한 추억을 영원히 간직하고 싶다.

4주

▶정답 및 해설 23쪽

1 낱말 고쳐쓰기

다음 그림을 보고, 보기 에서 알맞은 낱말을 골라 밑줄 그은 낱말을 각각 바르게 고쳐 쓰세요.

보기

잊지 잇지 막은 맑은

(1) 친구들의 말근 목소리가 울려 퍼졌다.

(2) 잊지 못할 추억이 되었다.

2 문장 고쳐쓰기

다음 친구가 고쳐 쓴 문장 과 같이 밑줄 그은 부분을 '전혀'와 어울리는 말로 고치고, 문장을 따라 쓰세요.

친구가 고쳐 쓴 문장

비록 상을 받지는 못했지만 전혀 섭섭했다.

↓

비록 상을 받지는 못했지만 전혀 섭섭하지 않았다.

'전혀'는 주로 부정을 나타내는 말과 어울려 쓰이며 '도무지.', '완전히.'의 뜻을 나타내요. '~했다.'를 '~지 않았다'의 표현으로 바꾸어 보세요.

	나	는	V	내	V	동	생	과	V	전	혀	V	닮
았	다	.											

↓

	나	는	V	내	V	동	생	과	V	전	혀	V	
	V				.								

▶ 정답 및 해설 24쪽

다음은 지우가 한 학년을 마치며 떠오르는 감상을 쓴 글이에요. 보기 에서 알맞은 내용을 골라 써넣어 글을 완성해 보세요.

보기

- 더 좋은 친구들을 만나지 못한 것이 아쉬웠다.
- 나도 더욱 성장하는 한 해가 되어서 뿌듯하다.
- 나의 마음을 몰라주는 친구들이 원망스러웠다.
- 나는 고마움과 미안함이 뒤섞여 눈물이 날 것 같았다.

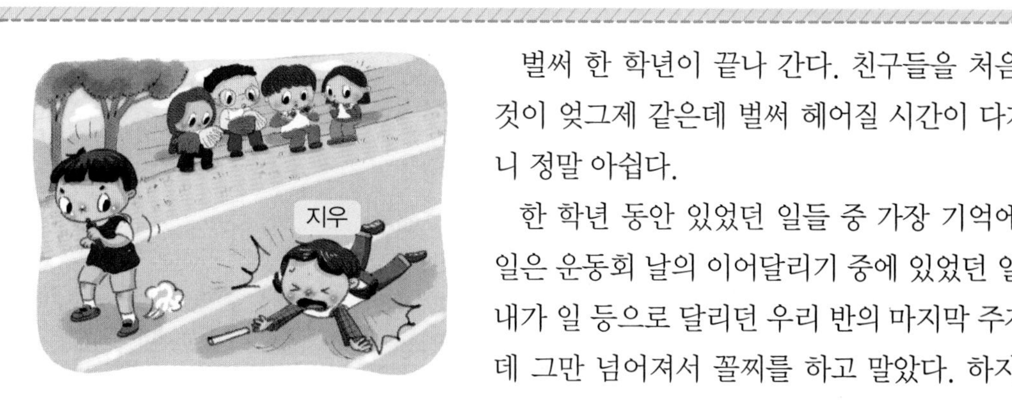

벌써 한 학년이 끝나 간다. 친구들을 처음 만난 것이 엊그제 같은데 벌써 헤어질 시간이 다가온다니 정말 아쉽다.

한 학년 동안 있었던 일들 중 가장 기억에 남는 일은 운동회 날의 이어달리기 중에 있었던 일이다. 내가 일 등으로 달리던 우리 반의 마지막 주자였는데 그만 넘어져서 꼴찌를 하고 말았다. 하지만 친구들은 "괜찮아! 괜찮아!"를 외치며 응원해 주었다. ❶ ______________________

____

일 년이 그리 긴 시간은 아니었지만 좋은 친구들과 함께하면서 ❷ ______________________

____

힌트 기억에 남는 일이 무엇인지 살펴보고, 그 일에 어울리는 생각과 느낌을 찾아 보세요. 그리고 친구들과 한 해를 지내면서 어떤 생각이 들었는지도 찾아 써요.

2일 인상 깊었던 일로 시 쓰기

한 학년의 생활을 돌아보며 가장 인상 깊었던 일을 골라 시로 써 보아요.
있었던 일을 흉내 내는 말이나 감각적인 표현을 써서 생생하게 표현해 보고,
그때 느꼈던 마음이 시 속에 드러나도록 써 보세요.
시를 쓸 때에는 같은 말이나 글자 수를 반복해서 리듬감을 줄 수도 있어요.

▶정답 및 해설 24쪽

인상 깊었던 일을 골라 시를 쓰는 방법에 맞게 빈칸에 알맞은 말을 따라 쓰세요.

- 한 학년의 생활을 돌아보며 가장 인 상 깊었던 일을 골라요.
- 흉 내 내는 말이나 감 각 적인 표현을 써서 생생하게 표현해요.
- 그때 느꼈던 마 음 이 시 속에 드러나도록 써요.
- 같은 말이나 글자 수를 반 복 해서 리듬감을 줄 수 있어요.

위에서 따라 쓴 말을 모두 찾아 색칠해 보고, 어떤 모양이 나오는지 알아보아요.

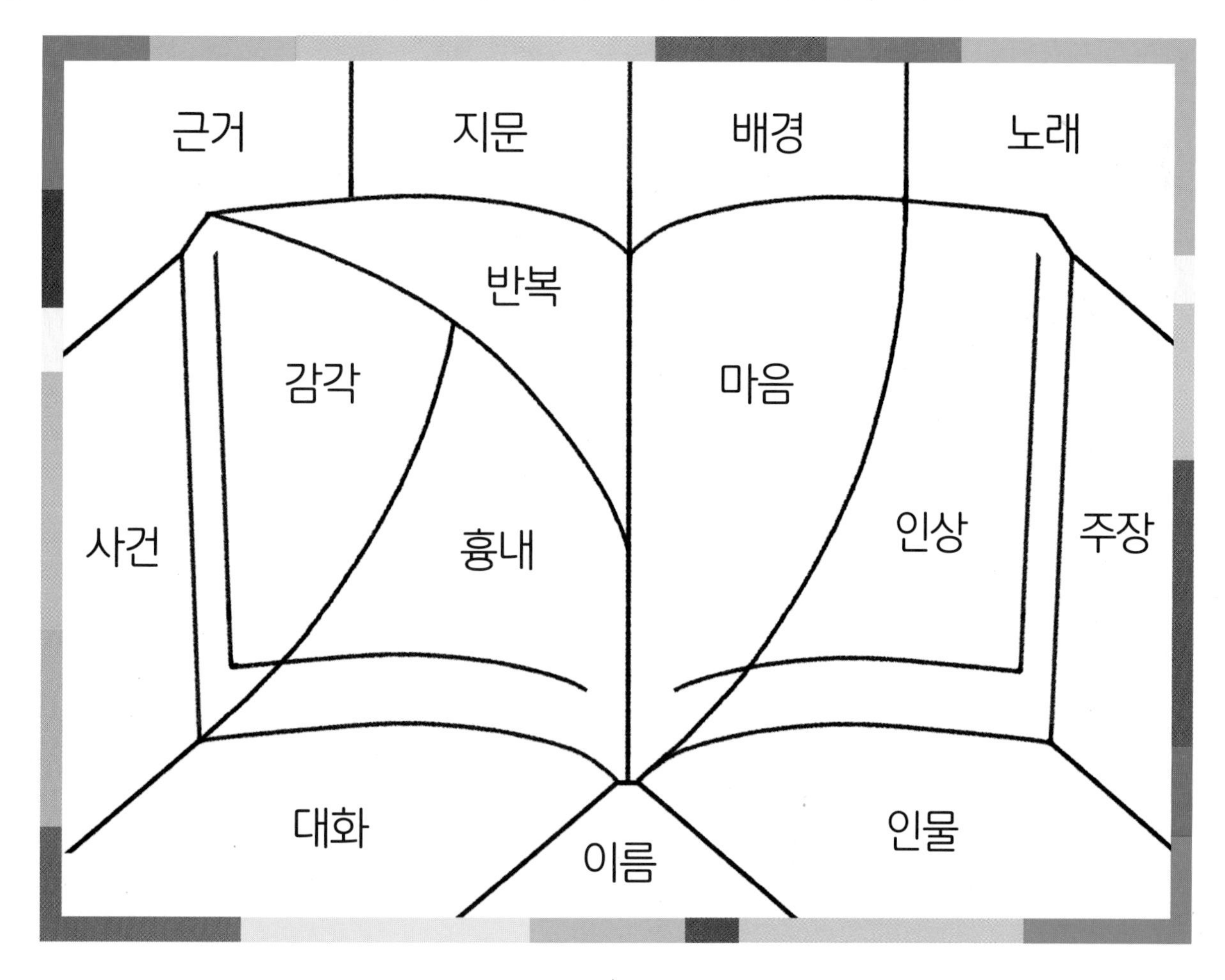

4주

2일 인상 깊었던 일로 시 쓰기

◎ 다음 일기를 읽고, 인상 깊었던 일을 시로 써 보세요.

20○○년 10월 12일 수요일	날씨: 비가 오다가 오후에 갬.

인절미 만들기

수업 시간에 네 명씩 모둠을 만들어 인절미를 만들었다. 인절미를 만들려면 여러 과정을 거쳐야 하는데, 우리 모둠은 과정별로 역할을 나누어 맡았다.

먼저 순우가 잘 쪄진 찹쌀을 절구로 찧고 치대어 반죽을 만들면 지우가 반죽을 길고 네모진 모양으로 만들어 주었다. 정국이는 지우가 모양을 잡은 반죽을 먹기 좋은 크기로 알맞게 썰었다. 선생님께서 콩고물을 골고루 묻혀야 맛있다고 알려 주셔서 나는 조물조물 반죽에 콩고물을 꼼꼼히 묻혔다.

먹음직스러운 인절미가 완성되자 우리는 냉큼 인절미를 하나씩 집어 입에 넣었다. 인절미는 쫄깃하면서도 고소한 맛이 일품이었다. 아직도 인절미의 고소한 맛이 입 안에 맴도는 듯하다.

어휘 풀이

- **치대어** 빨래, 반죽 따위를 무엇에 대고 자꾸 문질러. 예 반죽을 잘 치대어 쫄깃하게 만들었다.
- **콩고물** 콩가루로 만들어 인절미나 경단 따위의 겉에 묻히거나 시루떡의 켜와 켜 사이에 뿌리는 가루. 예 콩고물은 보슬보슬하고 고소하다.
- **일품**|하나 일 一, 물건 품 品| 즐길 수 있는 최고의 것. 예 산에 올라 아래를 내려다보는 기분이 일품이다.

▶정답 및 해설 24쪽

낱말 쓰기

1단계 다음 그림을 보고, 남자아이가 한 학년 동안 가장 인상 깊었던 일은 무엇인지 빈칸에 알맞은 낱말을 쓰세요.

한 학년 동안 가장 인상 깊었던 일은 모둠 친구들과 [ㅇ][ㅈ][ㅁ] 만들기를 한 일이다.

문장 쓰기

2단계 다음은 1에서 답한 일을 시로 쓴 것이에요. 보기 의 말을 이용하여 시를 완성하세요.

보기

조물조물 | 숭덩숭덩 | 하늘을 나는 | 쿵덕쿵덕

인절미

뭉게뭉게
뽀얗게 찐 찹쌀로
떡을 만든다

순우는
[ ][ ][ ][ ] 쿵 쿵
찹쌀을 찧고

지우는
요리조리
모양을 잡고

정국이가
[ ][ ][ ][ ]
썰어 주면

나는
[ ][ ][ ][ ]
노오란 콩고물을 묻힌다

보드라운 인절미
입에 넣고
오물오물 씹어 주면

폭신폭신
쪼올깃쪼올깃
고소한 맛이

[ ][ ][ ][ ][ ]
기분!

4주

2일 똑똑한 하루 글쓰기 고쳐쓰기

▶정답 및 해설 24쪽

1 낱말 고쳐쓰기

다음 그림을 보고, 문장의 밑줄 그은 낱말을 고쳐 쓰기에 알맞은 낱말을 보기 에서 골라 바르게 고쳐 쓰세요.

2 문장 고쳐쓰기

다음 친구가 쓴 문장 에서 밑줄 그은 부분을 바르게 고치고, 문장을 따라 쓰세요.

친구가 쓴 문장

인절미를 만드려면 여러 과정을 거쳐야 하는데, 우리 모둠은 과정별로 역활을 나누어 맡았다.

'노력이나 기술 따위를 들여 목적하는 사물을 이루려면.'의 뜻을 가진 낱말은 '만들려면'이고, '맡은 일 또는 해야 하는 일.'의 뜻을 가진 낱말은 '역할'이에요.

똑똑한 하루 글쓰기 마무리

내 생각 쓰기로 하루 마무리

▶정답 및 해설 25쪽

● 찬호가 한 학년 동안 가장 인상 깊었던 일은 무엇인지 살펴보고, 다음 시의 내용을 완성해 보세요.

이민호

웬 녀석이
전학을 왔다.

머리는 삐쭉삐쭉

____

____

____

꽤 멋진걸
나만큼이나.

그 녀석의 이름은
이. 민. 호.

그림에서 민호의 생김새나 특징을 잘 살펴보고, 흉내 내는 말 등을 사용하여 재미있게 표현해 보세요.

4주

3일 현장 체험학습을 기사로 쓰기

친구들과 같이 갔던 현장 체험학습을 기사로 써라!

친구들과 같이 갔던 현장 체험학습을 떠올려 기사로 써 보세요.
기사를 쓸 때에는 '언제, 어디에서, 누가, 무엇을, 어떻게, 왜'의 내용을 써야 해요.
지금 친구들이 그때의 일을 어떻게 기억하는지 친구들을 인터뷰해서 담거나
찍어 놓은 사진을 기사에 넣는 것도 좋아요.

▶ 정답 및 해설 25쪽

◉ 현장 체험학습을 기사로 쓰는 방법에 맞게 빈칸에 알맞은 말을 쓰고, 퍼즐판에서 찾아 ◯표를 하세요.

찍어 놓은 ❸ 을
기사에 넣는 것도 좋아요.

현장 체험학습을 기사로 쓰기

◎ 다음 만화를 읽고, 현장 체험학습 내용을 기사로 써 보세요.

어휘 풀이

▼ **수확** | 거둘 수 收, 벼벨 확 穫 | 익은 농작물을 거두어들임. 또는 거두어들인 농작물.

예 베란다 텃밭에서 방울토마토를 수확했다.

▼ **캘** 땅속에 묻힌 광물이나 식물 따위의 자연 생산물을 파서 꺼낼.

예 오늘은 가족과 감자를 캘 예정이다.

▼ **제거** | 덜 제 除, 갈 거 去 | 없애 버림. 예 악취를 제거하기 위해 약을 뿌렸다.

▶정답 및 해설 25쪽

낱말 쓰기

다음 현장 체험학습 장면을 보고, 빈칸에 알맞은 낱말을 쓰세요.

우리 반은 20○○년 10월 14일에 강화도의 고구마 농장에서 'ㄱ ㄱ ㅁ 수확하기' 현장 체험학습을 하였다.

문장 쓰기

현장 체험학습에 대한 내용 중 '왜', '어떻게'에 해당하는 내용을 보기 에서 골라 각각 쓰세요.

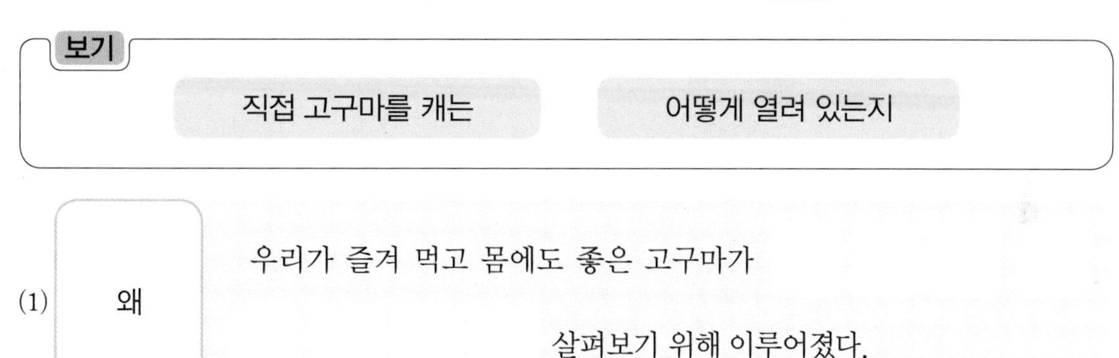

(1) 왜 — 우리가 즐겨 먹고 몸에도 좋은 고구마가 ________ 살펴보기 위해 이루어졌다.

(2) 어떻게 — 미리 고구마 줄기가 제거된 밭에서 우리가 ________ 방법으로 진행되었다.

한 편 쓰기

1과 2에서 쓴 내용을 넣어 현장 체험학습을 기사로 써 보세요.

우리 반은 20○○년 10월 14일에 강화도의 고구마 농장에서 ❶ ________________. 이번 체험학습은 우리가 즐겨 먹고 몸에도 좋은 고구마가 ❷ ________________. 현장 체험학습은 ❸ ________________ 진행되었다.

▶ 정답 및 해설 26쪽

1 낱말 고쳐쓰기

다음 보기 의 내용을 참고하여 밑줄 그은 낱말을 바르게 고쳐 쓰세요.

보기

굽다 불에 익히다. → 구워 구우니 구운

굽다 한쪽으로 휘다. → 굽어 굽으니 굽은

고구마를 맛있게 구어 먹었다.

→ 고구마를 맛있게 ☐☐ 먹었다.

2 문장 고쳐쓰기

다음 선생님의 말씀에서 밑줄 그은 부분의 띄어쓰기를 바르게 고치고, 문장을 따라 쓰세요.

<table>
<tr><td></td><td>고</td><td>구</td><td>마</td><td>를</td><td>V</td><td>캘</td><td>V</td><td>때</td><td>에</td><td>는</td><td>V</td><td>먼</td><td>저</td><td>V</td></tr>
<tr><td></td><td>V</td><td></td><td></td><td>V</td><td>줄</td><td>기</td><td>를</td><td>V</td><td>제</td><td>거</td><td>하</td><td>고</td><td>V</td><td></td></tr>
<tr><td></td><td></td><td></td><td>V</td><td>고</td><td>구</td><td>마</td><td>를</td><td>V</td><td>캐</td><td>는</td><td>V</td><td>거</td><td>예</td><td></td></tr>
<tr><td>요</td><td>.</td><td></td><td></td><td></td><td></td><td></td><td></td><td></td><td></td><td></td><td></td><td></td><td></td><td></td></tr>
</table>

'땅속'은 '땅 밑.'을 뜻하는 하나의 낱말이지만 '땅 위'는 하나의 낱말이 아니에요.

▶정답 및 해설 26쪽

● 다음 그림과 대화를 잘 보고, 현장 체험학습에 갔던 일을 기사로 써 보세요.

해법 신문

제12호
20○○년 12월 10일

천재 재활용 센터 현장 체험학습

우리 반은 20○○년 9월 11일에 '❶ ____________ ____________'로 현장 체험학습을 갔다. 이번 체험학습은 지구 환경을 지키기 위해 우리의 노력이 꼭 필요하다는 깨달음을 얻기 위한 활동이다. 현장 체험학습은 ❷ ____________________ ____________________을 배우는 방식으로 진행되었다. 현장 체험학습에 참가하였던 정유미 학생은 소감을 묻는 질문에 "❸ ____________ ____________________" 라고 대답하였다.

김우진 기자

❶에는 '어디에서'에 해당하는 말을, ❷에는 '어떻게'에 해당하는 말을 ❸에는 인터뷰 내용을 써 보세요.

4주

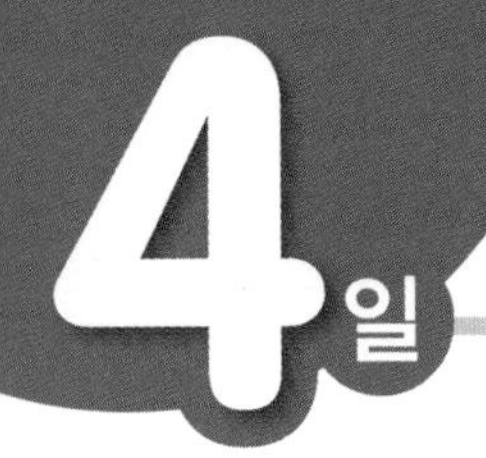

친구에게 편지 쓰기

한 학년을 같이 보낸 친구에게 마음을 담은 편지를 써라!

한 학년을 마치며 친구에게 편지를 쓸 때에는
미처 전하지 못했던 마음을 전해도 좋고, 헤어지는 아쉬움을 담아도 좋아요.
미래에 대한 덕담을 전할 수도 있답니다.
편지에는 받을 사람, 첫인사, 전하고 싶은 말, 끝인사, 쓴 날짜, 쓴 사람을 꼭 쓰세요.

▾ **덕담** 남이 잘 되기를 바라며 하는 말.

▶정답 및 해설 26쪽

사다리 타기를 하여 도착한 곳의 낱말을 따라 쓰며, 한 학년을 같이 보낸 친구에게 마음을 담아 편지를 쓰는 방법을 알아보아요.

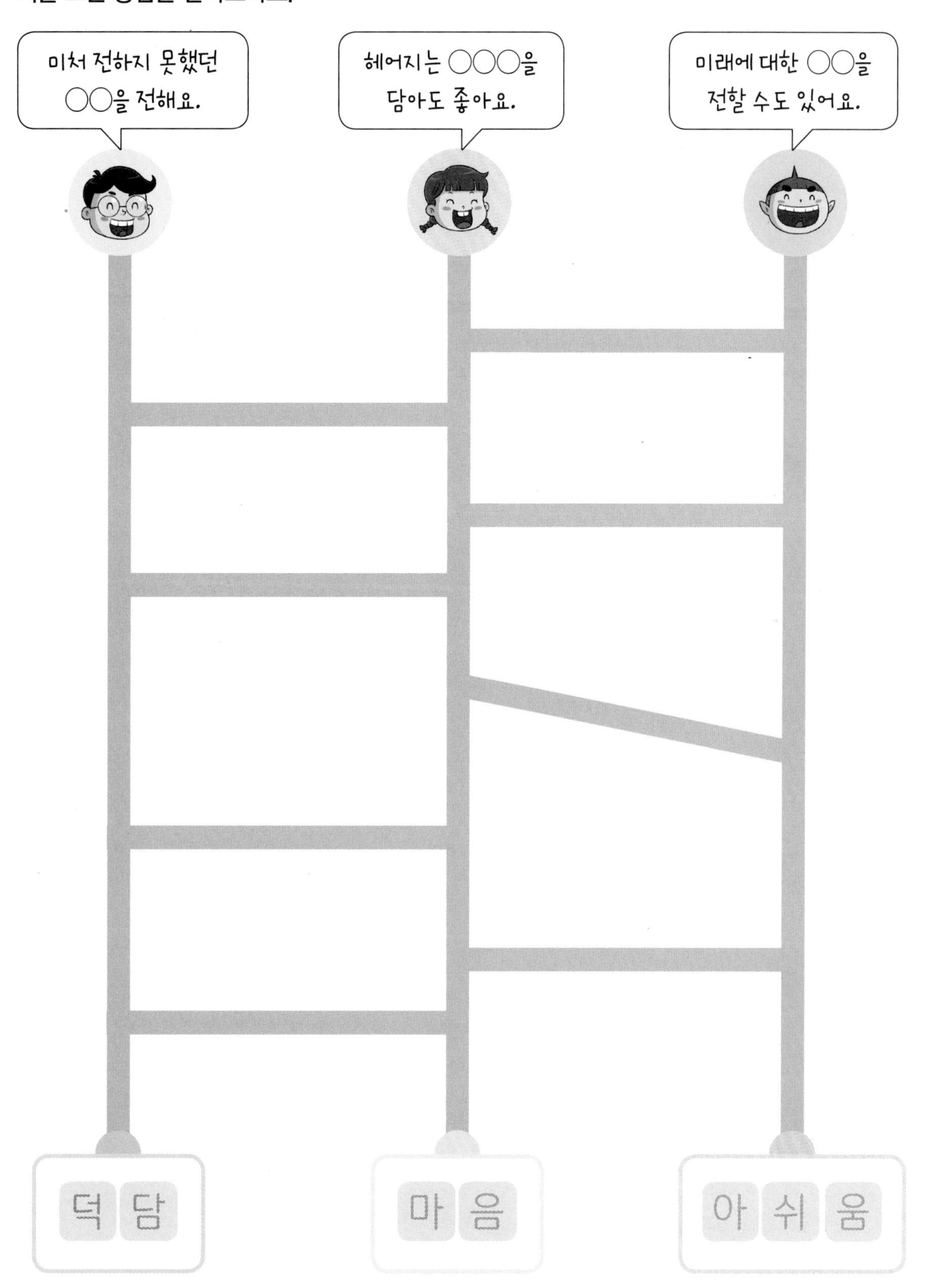

4일 친구에게 편지 쓰기

● 다음 대화를 읽고, 밤톨이가 달래와 기찬이에게 마음을 전하는 편지를 써 보세요.

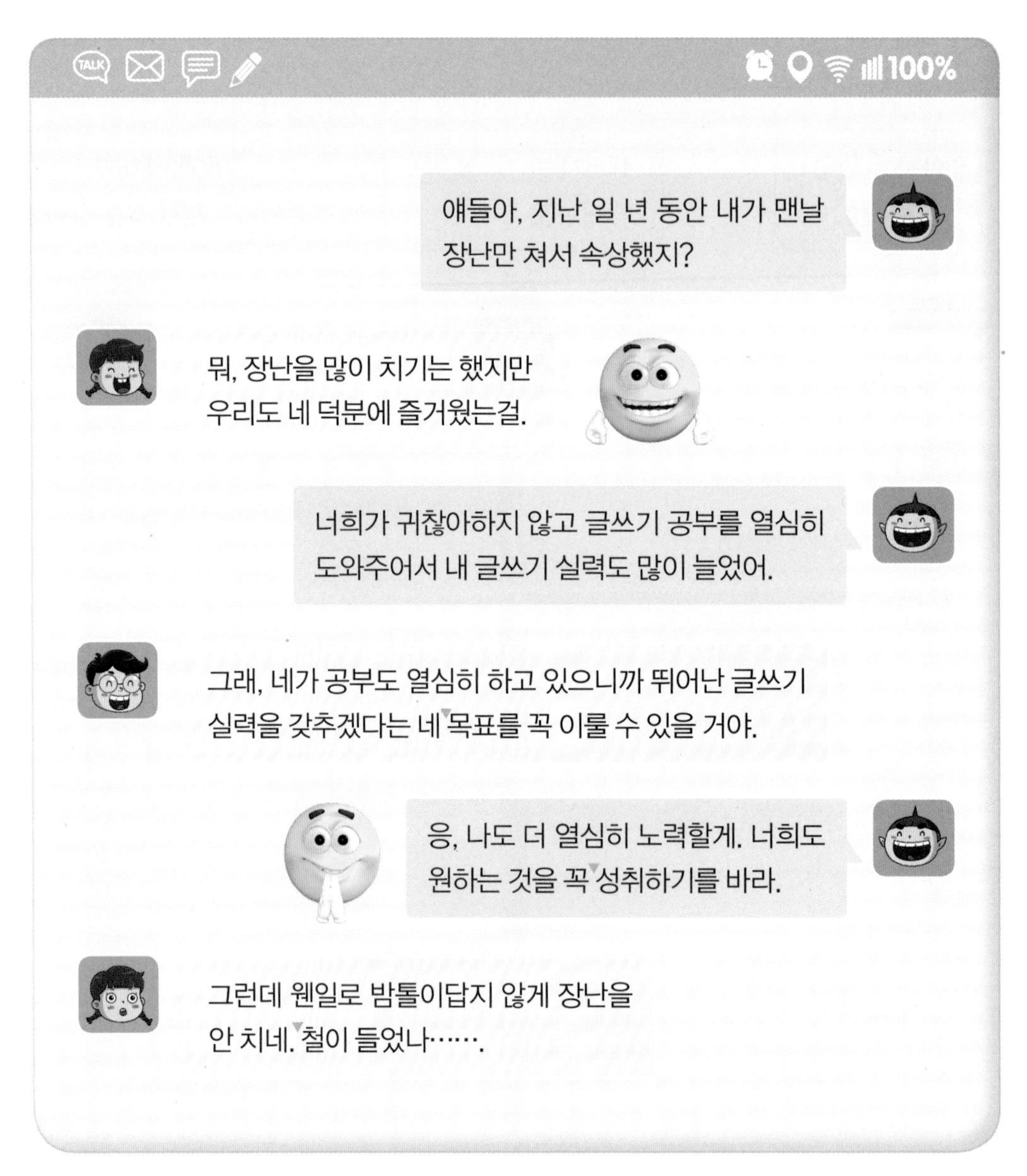

어휘 풀이

▼ **목표** | 눈 목 目, 표 표 標 | 어떤 목적을 이루기 위하여 도달해야 할 구체적인 대상.
예 내 목표는 훌륭한 글쓰기 실력을 갖추는 거야.

▼ **성취** | 이룰 성 成, 나아갈 취 就 | 목적한 것을 이룸. 예 찬호는 소원을 성취하려고 열심히 노력하였다.

▼ **철** 잘못된 이치나 생각을 분별할 줄 아는 힘.
예 예전에는 말썽을 많이 부렸지만 지금은 철이 들어서 그러지 않는다.

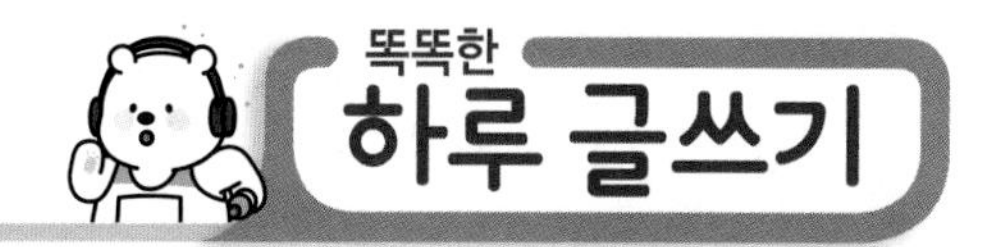

▶ 정답 및 해설 26쪽

낱말 쓰기

1단계 다음 그림을 보고, 밤톨이가 친구들에게 전하고 싶은 마음은 무엇일지 빈칸에 알맞은 낱말을 쓰세요.

너희가 글쓰기 공부를 열심히 도와주어서 정말 ㄱ ㅁ ㅇ .

문장 쓰기

2단계 밤톨이가 친구들에게 어떤 덕담을 해 주면 좋을지 보기 에서 알맞은 말을 골라 쓰세요.

보기
- 너희들이 세운 목표를 반드시 이루기를 바라
- 고달프게 애써 노력할 필요를 없애기를 바라

너희들도 ____________________ .

한 편 쓰기

3단계 1과 2에서 쓴 내용을 넣어 밤톨이가 달래와 기찬이에게 마음을 전하는 편지를 써 보세요.

달래, 기찬이에게

달래야, 기찬아, 안녕? 나 밤톨이야. 지난 일 년 동안 내가 장난을 많이 쳐서 속상할 때가 많았지? 그런데도 ❶ ____________________. 너희 덕분에 뛰어난 글쓰기 실력을 갖추겠다는 목표에 더 가까워진 것 같아. 너희들도 ❷ ____________________.

우리 남은 기간도 잘 마무리하자. 그럼 안녕.

20○○년 12월 10일

밤톨 씀

4주

▶정답 및 해설 27쪽

1 낱말 고쳐쓰기

다음 밤톨이의 말에서 밑줄 그은 낱말을 고쳐 쓰기에 알맞은 낱말을 보기 에서 골라 바르게 고쳐 쓰세요.

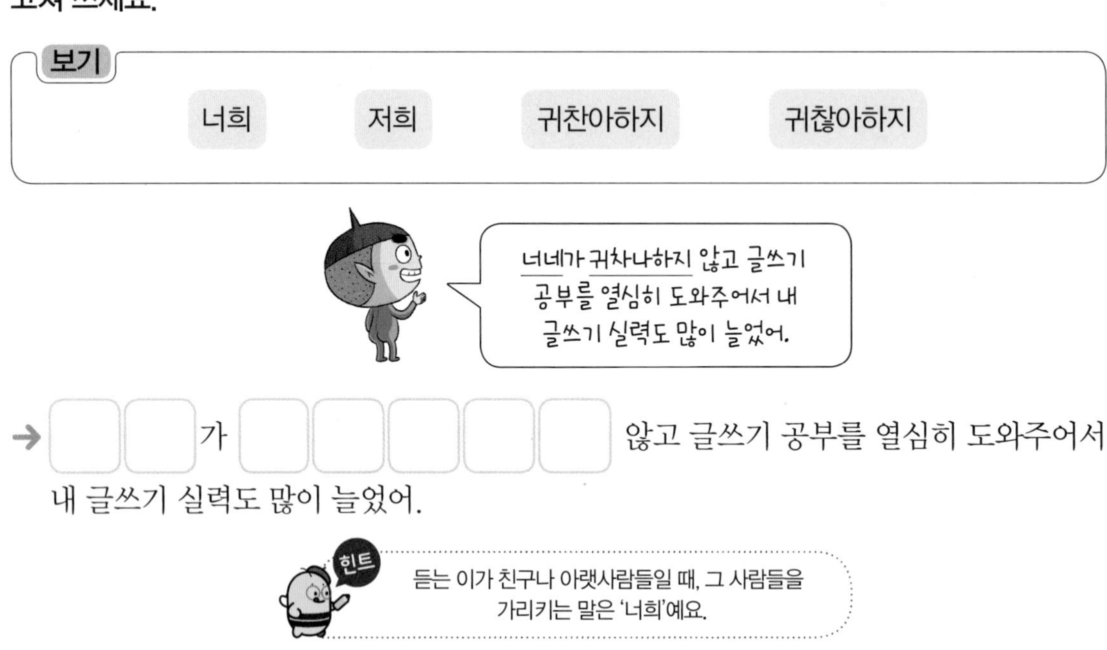

2 문장 고쳐쓰기

다음 달래의 말에서 밑줄 그은 부분의 띄어쓰기를 바르게 고치고, 문장을 따라 쓰세요.

'웬일'은 '어찌 된 일.'로, 의외의 뜻을 나타내는 하나의 낱말이므로 붙여 써요.
'-답다'는 사물의 이름이나 가리키는 말 뒤에 붙어 '특성이나 자격이 있음.'의 뜻을 더하여 주는 말이에요. 이렇게 다른 낱말의 앞이나 뒤에 붙어 뜻을 더하여 주는 말은 함께 쓰는 낱말과 붙여 써요.

▶정답 및 해설 27쪽

● 한 학년을 마치며 희선이가 연경이에게 편지를 쓰고 있어요. 보기 에서 알맞은 내용을 골라 써넣어 희선이의 편지 내용을 완성하세요.

연경이에게

연경아, 안녕? 나 희선이야. 우리가 같은 반이 되어 어색하게 인사했던 게 엊그제 같은데 ❶ ______________________.

나는 덤벙대는 성격이어서 이런저런 실수를 많이 했는데, 일 년 동안 ❷ ______________________. 특히 내가 팔을 다쳐서 글씨를 쓰지 못했을 때 네가 수업 시간에 선생님 말씀을 적은 것을 정리해서 내게 주었잖아. 그동안 쑥스러워서 잘 표현하지 못했지만 ❸ ______________________.

남은 기간 동안 더 잘 지내고, 학년이 바뀌더라도 우리의 우정은 변치 말도록 하자. 어디서든지 네가 행복하기를 바랄게.

20○○년 12월 10일

희선이가

희선이가 연경이와 헤어지게 되어서 어떤 마음이 들지, 연경이에게 편지로 전하고 싶은 마음은 무엇일지 생각하며 알맞은 내용을 골라 쓰세요.

5일 미래 일기 쓰기

미래의 '나'의 모습을 떠올려 미래 일기를 써라!

미래에 어른이 된 나의 모습은 어떠할지 떠올려서 미래 일기를 써 보세요.

미래의 나는 어떤 일을 하고 있을지 상상하여 쓰면 돼요.

그리고 그때 지금 내 친구들은 어떠한 모습일지,

어른이 된 나는 우리 반의 모습을 어떻게 추억하고 있을지 상상해 써 보세요.

똑똑한 하루 글쓰기 미리 보기

▶정답 및 해설 27쪽

◉ 그림에 맞는 퍼즐 모양을 찾아 ○표를 하고, 미래 일기를 쓰는 방법을 알아보아요.

미래 일기를 쓰는 방법을 생각하며 다음 문장을 따라 쓰세요.

	우	주	인	이	V	되	어	V	새	로	운	V	별
에	V	도	착	했	다	.	새	로	운	V	별	에	V
도	착	할	V	때	마	다	V	정	말	V	기	쁘	고 V
설	렌	다	.										

4주

5일 미래 일기 쓰기

◉ 다음 만화를 보고, 자신과 친구들의 미래의 모습을 떠올려 정민이가 쓴 미래 일기를 완성해 보세요.

어휘 풀이

▾ **정의감** | 바를 정 正, 옳을 의 義, 느낄 감 感 | 진리에 맞는 올바른 도리인 정의를 이루려 하는 생각이나 마음. 예 정의감에 불타는 경찰은 끝까지 범인을 쫓았다.

▾ **실으면** | 글, 그림, 사진 따위를 책이나 신문 따위의 출판물에 내면.
예 학급 신문에 현장 체험학습을 갔던 일을 기사로 써서 실으면 좋겠다.

▶ 정답 및 해설 27쪽

낱말 쓰기

1 단계 다음 그림을 보고, 정민이는 미래에 무엇이 되었는지 빈칸에 알맞은 낱말을 쓰세요.

마지막 환자를 진료하고 나오니 해가 저물고 있었다. ㅇ ㅅ 로서 환자를 돌보는 일은 힘들지만 무척 뿌듯하다.

문장 쓰기

2 단계 보기 의 말을 이용하여 친구들의 미래 모습과 정민이가 추억하는 우리 반의 모습을 쓰세요.

보기	
다투기도 하고 깔깔거리며	서연이는 유명한 안무가가

(1) 친구를 잘 도와주던 진우는 늠름한 소방관이 되었고, 춤을 아주 잘 추던 되었다.

(2) 때때로 함께 놀던 우리 반 친구들이 자신의 꿈을 이룬 모습을 보니 뿌듯하고 자랑스럽다.

한 편 쓰기

3 단계 1과 2에서 쓴 내용을 넣어 정민이가 쓴 미래 일기의 내용을 완성해 보세요.

2050년 3월 11일 금요일	날씨: 약간의 비

제목: 멋진 어른이 된 친구들

마지막 환자를 진료하고 나오니 해가 저물고 있었다. ❶ ________________ ________________. 저녁에는 최근에 연락이 닿은 진우와 서연이를 만났다. 옛날부터 친구를 잘 도와주던 진우는 늠름한 소방관이 되었고, 춤을 아주 잘 추던 ❷ ________________.

❸ ________________
우리 반 친구들이 자신의 꿈을 이룬 모습을 보니 뿌듯하고 자랑스럽다.

4주

▶정답 및 해설 28쪽

1 낱말 고쳐쓰기

다음 그림을 보고, 밑줄 그은 낱말을 각각 바르게 고쳐 쓰세요.

(1) 진우는 늠늠한 소방관이 되었다.

→ □□□

(2) 친구들이 꿈을 이루어 뿌듣하다.

→ □□□□

2 문장 고쳐쓰기

다음 친구가 고쳐 쓴 문장 처럼 밑줄 그은 부분을 과거를 나타내는 표현으로 고치고, 문장을 따라 쓰세요.

친구가 고쳐 쓴 문장

말썽만 부리는 꼬마 아이는 어느덧 자라서 어른이 되었다.
→ 말썽만 부리던 꼬마 아이는 어느덧 자라서 어른이 되었다.

친구를 잘 도와주는 진우는 소방관이 되었고, 춤을 잘 추는 서연이는 유명한 안무가가 되었다.

	친	구	를	V	잘	V					V	진	우
는	V	소	방	관	이	V	되	었	고	,	춤	을	V
잘	V			V	서	연	이	는	V	유	명	한	V
안	무	가	가	V	되	었	다	.					

'-는'과 '-던'은 모두 앞말에 붙어 앞말이 뒷말을 꾸며 주도록 만드는데, '-는'은 앞의 내용이 현재 일어남을 나타내고, '-던'은 과거의 어떤 상태를 나타내요.

▶정답 및 해설 28쪽

다음 미래 일기의 내용을 참고하여 자신의 미래 일기를 써 보세요.

2045년 12월 11일 월요일	날씨: 하루 종일 맑음

제목: 그리운 기억

드디어 새로 지을 건물의 설계도 그리기를 마쳤다. 건축가가 되어 멋진 건물을 짓겠다던 어릴 적 꿈을 이루게 된 것이다.

저녁에는 초등학교 때부터 친했던 승우를 만나 새로 지을 멋진 건물 자랑을 했다. 악기 연주를 좋아했던 승우는 유명한 작곡가가 되었는데, 이번에 새로 만든 음악을 들려주었다. 음악을 듣고 있으니 초등학교 때 쉬는 시간에 리코더 연주를 들려주던 승우와 주변에 모여 그 연주를 감상하던 친구들의 모습이 떠올랐다. 항상 웃음이 가득했던 친구들의 모습과 자상하시면서 우리에게 장난도 많이 치시던 선생님의 모습이 그리워지는 날이었다.

20 ______ 년 ______ 월 ______ 일 ______ 요일	날씨: ______________

제목: ______________________________

____

____

____

____

____

____

____

힌트 미래의 나는 무엇을 하고 있을지, 친구들의 모습은 어떠할지, 어른이 된 나는 우리 반의 모습을 어떻게 추억하고 있을지 상상하며 미래 일기를 써 보세요.

4주

생활 어휘 다음 만화를 보며 속담의 뜻을 알아보고, 상황에 맞게 속담을 써 보세요.

두부 먹다 이 빠진다

▶정답 및 해설 28쪽

속담의 뜻을 알아봐요!

두부 먹다 이 빠진다

이 속담은 "마음을 놓으면 생각지 않던 실수가 생길 수 있으니 항상 조심해야 한다."라는 뜻이랍니다.

이제 이 속담을 넣어 상황에 맞게 써 볼까요?

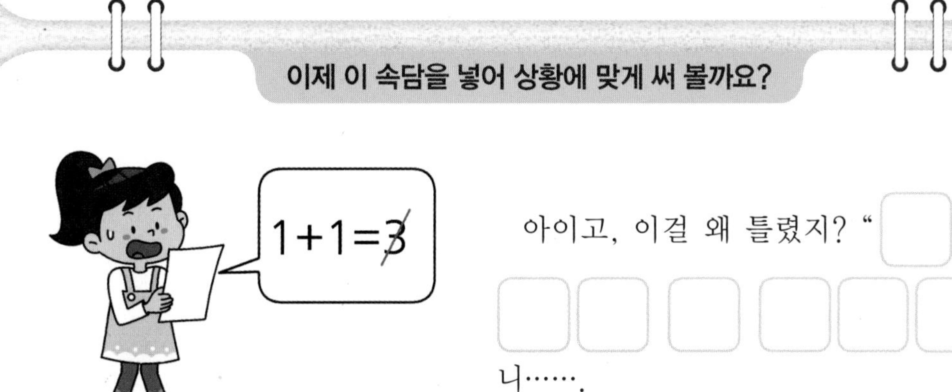

아이고, 이걸 왜 틀렸지? "□□ □□ □ □□□"더니…….

● 민호가 천재초등학교로 전학을 가게 되었어요. 낱말의 뜻을 잘 보고, 알맞은 낱말을 골라 천재초등학교로 가는 길을 선으로 이어 보세요.

창의 4주에 나왔던 **낱말과 그 뜻**을 익히며 천재초등학교로 가는 길을 찾아 봅니다.

▶정답 및 해설 29쪽

다음 코딩 명령을 따라가며 인절미를 만드는 순서를 완성하세요.

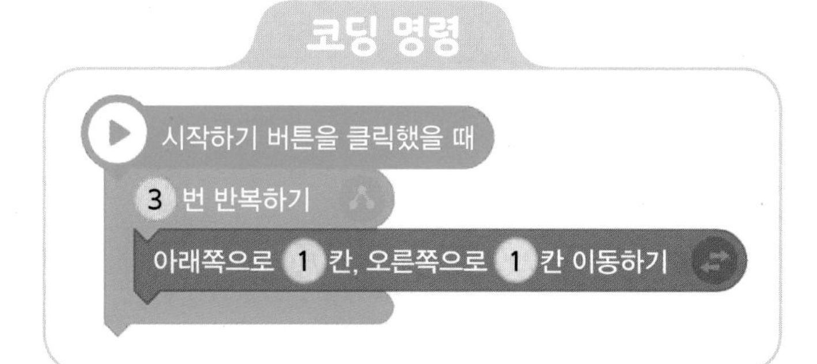

코딩 명령 풀이
아래쪽으로 한 칸,
오른쪽으로 한 칸 이동한 다음,
이것을 세 번 반복해요.

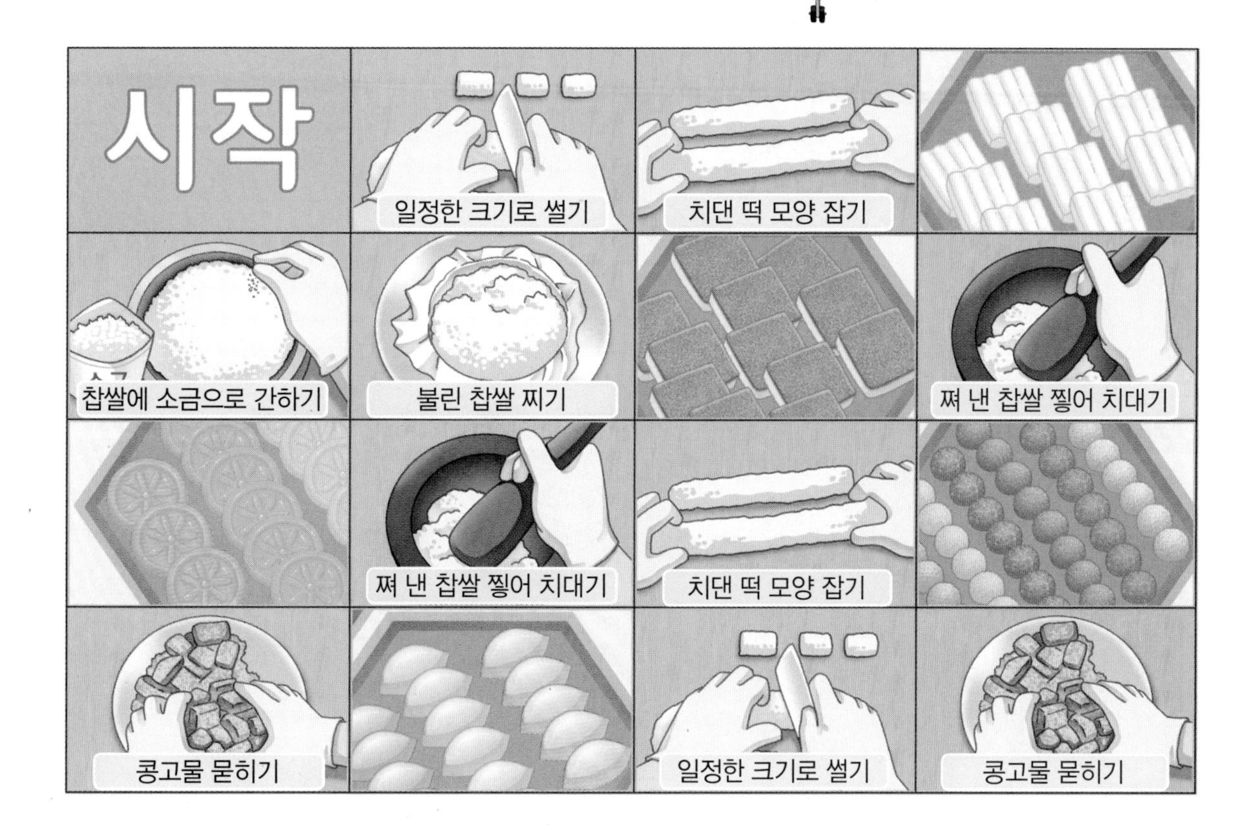

인절미를 만드는 순서

찹쌀에 ☐☐으로 간하기 → 불린 찹쌀 찌기→ 쳐 낸 찹쌀 찧어 ☐☐☐ → 치댄 떡 모양 잡기 → 일정한 크기로 썰기 → ☐☐☐ 묻히기

코딩 **코딩 명령**에 따라 이동하며 **인절미 만드는 순서**를 알아봅니다.

4주

친구들이 '고구마 수확하기' 현장 체험학습을 하고 있어요. 그림을 보고 채소의 종류에 대해 알아보고, 숨은 그림도 찾아 보세요.

숨은 그림: 무, 당근, 배추, 토마토, 가지

융합 국어+과학

채소의 종류에 대해 알아보고, 숨은 그림도 모두 찾아 봅니다.

▶정답 및 해설 29쪽

재활용 센터에 현장 체험학습을 다녀온 친구가 쓰레기를 버리러 나갔어요. 분리배출을 바르게 하는 방법을 잘 읽어 보고, 두 그림에서 다른 부분을 다섯 군데 찾아 ◯표를 하세요.

분리배출을 바르게 하는 방법

- 캔·플라스틱: 내용물을 비우고 물로 헹구어 배출하세요.
- 유리병류: 내용물을 비우고 물로 헹구어 배출하고, 깨진 유리는 일반 쓰레기로 배출하세요.
- 종이류: 물에 젖지 않도록 하고, 오물이 섞이지 않게 배출하세요.

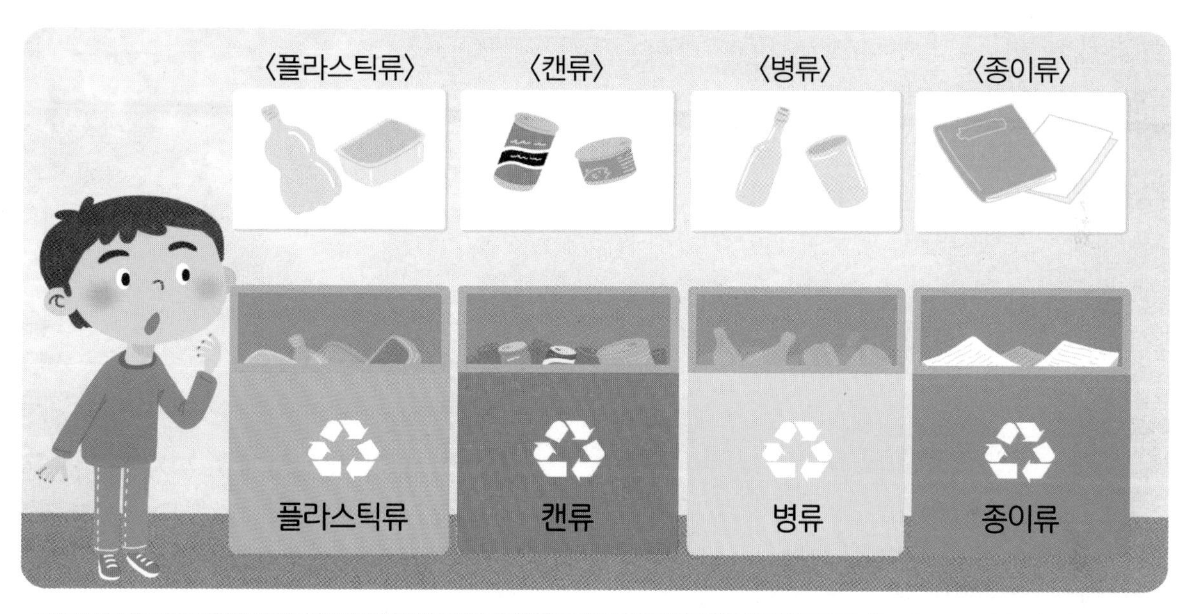

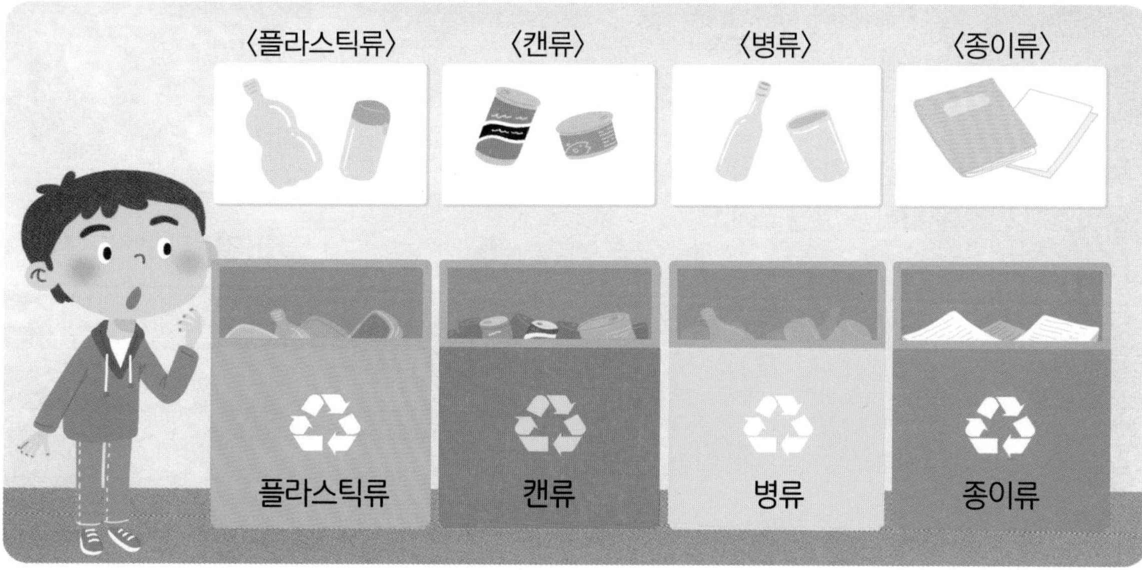

융합 국어+사회

쓰레기 재활용을 위하여 **분리배출을 바르게 하는 방법**을 생각하며 두 그림에서 다른 부분을 모두 찾아 봅니다.

4주

4주 누구나 100점 테스트

1 학급에서 학생들이 쓴 시나 글을 엮어서 만든 책을 무엇이라고 하는지 골라 ○표를 하세요.

학급 문집 , 학급 게시판

[2~3] 다음 글을 읽고, 물음에 답하세요.

또다시 한 학년이 끝난다고 생각하니 아쉬움과 함께 친구들과 함께했던 즐거웠던 추억이 떠오른다. 그중에서도 반 친구들과 함께 전국 합창 대회에 나간 일이 가장 기억에 남는다. 비록 상을 받지는 못했지만 함께 모여 연습하며 친구들과 소중한 추억을 만들 수 있어서 전혀 섭섭하지 않았다. 앞으로도 이 소중한 추억을 영원히 간직하고 싶다.

2 글쓴이가 한 학년 동안 가장 기억에 남는 일은 무엇인지 빈칸에 알맞은 말을 쓰세요.

(　　　　　　　　　　　　)에 나간 일

3 다음 중 글쓴이의 생각이나 느낌에 ○표를 하세요.

(1) 전국 합창 대회에 나갔다. (　　　)
(2) 합창 대회에서 상을 받지 못했다. (　　　)
(3) 친구들과 소중한 추억을 만들 수 있어서 전혀 섭섭하지 않았다. (　　　)

[4~5] 다음 시를 읽고, 물음에 답하세요.

뭉게뭉게
뽀얗게 찐 찹쌀로
떡을 만든다

순우는
쿵덕쿵덕 쿵 쿵
찹쌀을 찧고

지우는
요리조리
모양을 잡고

정국이가
숭덩숭덩
썰어 주면

나는
조물조물
노오란 콩고물을 묻힌다

보드라운 인절미
입에 넣고
[㉠] 씹어 주면

폭신폭신
쪼올깃쪼올깃
고소한 맛이

하늘을 나는 기분!

4 이 시가 생생하게 느껴지는 까닭은 무엇인가요? (　　　)

① 등장인물이 많아서
② 대화 글을 사용해서
③ 반복되는 연이 있어서
④ 흉내 내는 말을 사용해서
⑤ 사물을 사람처럼 나타내서

글쓰기

5 [㉠]에 들어갈 알맞은 흉내 내는 말을 **보기** 에서 골라 빈칸에 쓰세요.

보기

터벅터벅　　오물오물

보드라운 인절미
입에 넣고
□□□□ 씹어 주면

점수

▶ 정답 및 해설 30쪽

6 다음 현장 체험학습을 기사로 쓴 내용에 나타나 있지 않은 것은 무엇인가요? (　　　　)

> 우리 반은 20○○년 10월 14일에 강화도의 고구마 농장에서 '고구마 수확하기' 현장 체험학습을 하였다.

① 누가　② 언제　③ 어떻게　④ 무엇을　⑤ 어디에서

글쓰기

7 다음 편지에서 밤톨이가 친구들에게 전하고 싶은 마음은 무엇인지 [㉠] 안에 들어갈 말을 **보기** 에서 골라 넣고, 문장을 따라 쓰세요.

> 달래, 기찬이에게
> 달래야, 기찬아, 안녕? 나 밤톨이야. 지난 일 년 동안 내가 장난을 많이 쳐서 속상할 때가 많았지? 그런데도 너희가 글쓰기 공부를 열심히 도와주어서 정말 [㉠]. 너희 덕분에 뛰어난 글쓰기 실력을 갖추겠다는 목표에 더 가까워진 것 같아. 너희들도 너희들이 세운 목표를 반드시 이루기를 바라.
> 우리 남은 기간도 잘 마무리하자. 그럼 안녕.
> 20○○년 12월 10일
> 밤톨 씀

보기
기뻐해　고마워　부탁해　얄미워

	너	희	가	V	글	쓰	기
공	부	를	V	열	심	히	V
도	와	주	어	서	V	정	말
			.				

8 다음 밤톨이의 말에서 밑줄 그은 부분을 바르게 고쳐 쓰세요.

귀차나하지 → (　　　　　　)

[9~10] 다음 일기의 일부분을 읽고, 물음에 답하세요.

> 마지막 환자를 진료하고 나오니 해가 저물고 있었다. 의사로서 환자를 돌보는 일은 힘들지만 무척 뿌듯하다. 저녁에는 최근에 연락이 닿은 진우와 서연이를 만났다. 옛날부터 친구를 잘 도와주던 진우는 늠름한 소방관이 되었고, 춤을 아주 잘 추던 서연이는 유명한 안무가가 되었다. 때때로 다투기도 하고 깔깔거리며 함께 놀던 우리 반 친구들이 자신의 꿈을 이룬 모습을 보니 뿌듯하고 자랑스럽다.

9 친구들의 미래의 모습으로 알맞은 것을 각각 선으로 이으세요.

(1) '나' •　　• ① 소방관
(2) 진우 •　　• ② 안무가
(3) 서연 •　　• ③ 의사

10 '나'가 추억하는 '우리 반'의 모습으로 알맞은 것을 두 가지 고르세요. (　　　　)

① 사이가 좋지 않았다.
② 때때로 다투기도 했다.
③ 깔깔거리며 함께 놀았다.
④ 선생님과 친구처럼 지냈다.
⑤ 서로 관심을 가지지 않았다.

4주

똑똑한 하루 글쓰기 한권 끝!

글쓰기 공부 하느라 수고했어요.
교재를 꾸준히 잘 풀었는지 돌아보고 ○표를 하세요.

약속한 사람 ____________

	예	아니요
첫째, 하루하루 빠짐없이 꾸준히 공부했나요?	예	아니요
둘째, 하루 글쓰기 문제를 끝까지 다 풀었나요?	예	아니요
셋째, 또박또박 바르게 글씨를 썼나요?	예	아니요

아쉽고 부족한 부분을 스스로 돌아보고,
다음 단계를 공부할 때에는 더 열심히 해 봐요!

쉽다!

10분이면 하루치 공부를 마칠 수 있는 커리큘럼으로,
아이들이 초등 학습에 쉽고 재미있게 접근할 수 있도록
구성하였습니다.

재미있다!

교과서는 물론 생활 속에서 쉽게 접할 수 있는
다양한 소재와 재미있는 게임 형식의 문제로
흥미로운 학습이 가능합니다.

똑똑하다!

초등학생에게 꼭 필요한 학습 지식 습득은 물론
창의력 확장까지 가능한 교재로 올바른 공부습관을
가지는 데 도움을 줍니다.

과목	교재 구성	과목	교재 구성
하루 독해	예비초~6학년 각 A·B (14권)	하루 VOCA	3~6학년 각 A·B (8권)
하루 어휘	예비초~6학년 각 A·B (14권)	하루 Grammar	3~6학년 각 A·B (8권)
하루 글쓰기	예비초~6학년 각 A·B (14권)	하루 Reading	3~6학년 각 A·B (8권)
하루 한자	예비초: 예비초 A·B (2권) 1~6학년: 1A~4C (12권)	하루 Phonics	Starter A·B / 1A~3B (8권)
하루 수학	1~6학년 1·2학기 (12권)	하루 봄·여름·가을·겨울	1~2학년 각 2권 (8권)
하루 계산	예비초~6학년 각 A·B (14권)	하루 사회	3~6학년 1·2학기 (8권)
하루 도형	예비초~6학년 각 A·B (14권)	하루 과학	3~6학년 1·2학기 (8권)
하루 사고력	1~6학년 각 A·B (12권)	하루 안전	1~2학년 (2권)

※ 각 교재별 출간 시기는 조금씩 다르며, 일부 교재는 순차적으로 출시될 예정입니다.

기초
학습능력 강화
프로그램

똑똑한
하루 글쓰기

정답 및 해설

천재교육

정답 및 해설 포인트 3가지

▶ 혼자서도 이해할 수 있는 친절한 문제 풀이

▶ 문제 해결에 도움을 주는 '더 알아보기'와
틀린 부분을 짚어 주는 '왜 틀렸을까?'

▶ 예시 답안과 단계별 채점 기준 제시로
실전 서술형 문항 완벽 대비

뚝 뚝 한

하루 글쓰기

정답 및 해설

10~11쪽 1주에는 무엇을 공부할까? ❷

1-1 (2) ○ 1-2 달래
2-1 희수, 서윤 2-2 처 음

1-1 연설문은 여러 사람들 앞에서 자신의 생각이나 의견을 말하기 위해 미리 작성해 놓은 글을 말합니다.

1-2 연설문은 여러 사람들 앞에서 말하는 것이므로 높임말로 써야 합니다. 글봇이 하는 말은 설명문에 대한 설명입니다.

2-1 연설문의 처음 부분에는 듣는 이의 관심을 끄는 말을 쓰고, 문제 상황과 주장을 제시해야 합니다.

2-2 제시된 글은 문제 상황과 주장을 제시하고 있으므로 연설문의 처음 부분입니다.

1 일

13쪽 똑똑한 하루 글쓰기 미리 보기

 – 연 설 문, – 관 심,

 – 높 임 말

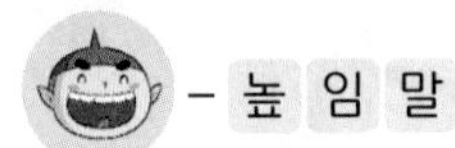

14~15쪽 똑똑한 하루 글쓰기

1 어린이 여러분, "말은 곧 그 사람의 인격입니다."라는 말이 있는데 들어 본 적이 있나요? 우리가 쓰는 말이 곧 우리의 인 격을 나타낸다는 뜻입니다.

2 요즘 친구들은 대 화 할 때나 인터넷 게시판에 댓 글 을 달 때 비속어를 많이 씁니다. 여러분, 비 속 어 를 쓰 지 맙 시 다. 지금부터 왜 비속어를 쓰지 말아야 하는지 말씀드리겠습니다.

3 어린이 여러분, "말은 곧 그 사람의 인격입니다."라는 말이 있는데 들어 본 적이 있나요? ❶ 예 우리가 쓰는 말이 곧 우리의 인격을 나타낸다는 뜻입니다. 요즘 친구들은 대화할 때나 인터넷 게시판에 댓글을 달 때 비속어를 많이 씁니다. ❷ 예 여러분, 비속어를 쓰지 맙시다. 지금부터 왜 비속어를 쓰지 말아야 하는지 말씀드리겠습니다.

1 달래는 우리가 쓰는 말이 우리의 인격을 나타내므로 비속어를 쓰지 말자고 하였습니다.

2 보기 의 말을 이용하여 문장을 완성해 봅니다.

3 1과 2에서 쓴 내용을 넣어 연설문의 처음 부분을 써 봅니다.

채점 기준

듣는 이의 관심을 끄는 말과 문제 상황, 주장 등 연설문의 처음 부분에 들어갈 내용을 잘 썼으면 정답입니다.

더 알아보기

• **연설:** 여러 사람 앞에서 자기의 주장 또는 의견을 말하는 것입니다.

16쪽 똑똑한 하루 글쓰기 고쳐쓰기

1 반 친구들도 많이 사용하는 말인데 공 연 히 나한테 트집 잡는 거 아니지?

2

	어	제	V	학	교	V	앞	에	V	새	로	V	생
긴	V	와	플	V	가	게	에	서	V	와	플	을	V
사	V	먹	었	는	데	V	정	말	V	맛	있	었	어

1 '특별한 이유나 실속이 없게.'라는 뜻의 '공연히'는 '괜히'와 뜻이 같아서 바꿔 쓸 수 있습니다.

2 '개맛있었어'를 '정말 맛있었어'로 고쳐 써야 합니다.

더 알아보기

우리말을 바르게 쓰는 방법

불필요하게 외국어 사용하지 않기, 줄임 말 사용하지 않기, 신조어 사용하지 않기 등

17쪽 똑똑한 하루 글쓰기 마무리

어린이 여러분, 과제를 하기 위해 자료를 찾거나 읽을거리가 필요할 때 ❶ 예 학교 도서관에 가서 책을 빌려 보시죠? 그런데 빌린 책에 낙서가 되어 있거나 책이 찢어져 있으면 어떤 기분이 드시나요? 아마 ❷ 예 기분이 좋지 않을 것입니다. 다른 사람들과 함께 사용하는 ❸ 예 학교 도서관의 책을 소중하게 다룹시다. 지금부터 도서관의 책을 소중하게 다루어야 하는 이유에 대해 말씀드리겠습니다.

○ 보기 에서 알맞은 말을 골라 빈칸에 써넣어 봅니다.

채점 기준

구분	답안 내용	
평가 기준	문장의 흐름에 맞게 보기 에서 알맞은 말을 골라 연설문의 처음 부분을 잘 썼습니다.	상
	❶~❸을 모두 썼지만 맞춤법이 틀린 부분이 있습니다.	중
	❶~❸ 중 일부만 알맞게 썼습니다.	하

2일

19쪽 똑똑한 하루 글쓰기 미리 보기

❶ 설 득
❷ 근 거
❸ 반 복

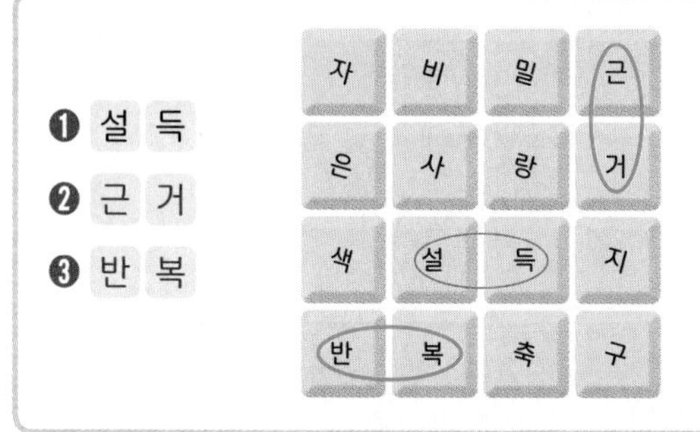

20~21쪽 똑똑한 하루 글쓰기

1 스티로폼, 비닐, 플라스틱, 알루미늄 등의 [쓰][레][기]를 줄일 수 있어 환경 보호에 도움이 됩니다.
2 [불][필][요][한] [포][장]이나 소비를 줄여 [돈][이] [낭][비][되][는] 것을 막을 수 있습니다.
3 하나, 다회용기를 사용하면 ❶ 예 스티로폼, 비닐, 플라스틱, 알루미늄 등의 쓰레기를 줄일 수 있어 환경 보호에 도움이 됩니다. / 둘, 다회용기를 사용하면 ❷ 예 불필요한 포장이나 소비를 줄여 돈이 낭비되는 것을 막을 수 있습니다.

1 다회용기를 사용하면 일회용품 쓰레기를 줄일 수 있어 환경 보호에 도움이 됩니다.

2 다회용기를 사용하면 불필요한 포장이나 소비가 줄어들어 돈을 절약할 수 있습니다.

3 1과 2에서 쓴 내용을 넣어 '다회용기를 사용하자.'라는 주장에 알맞은 근거를 완성해 봅니다.

채점 기준

다회용기를 사용하면 좋은 점 두 가지를 모두 알맞게 썼으면 정답으로 합니다.

22쪽 똑똑한 하루 글쓰기 고쳐쓰기

1 떡볶이[든] 순대[든]
2 떡 볶 이 ∨ 이 ∨ 인 분 , 순 대 ∨ 일 ∨ 인 분 ∨ 포 장 해 ∨ 주 세 요 .

1 떡볶이와 순대 중 어느 것이든 선택될 수 있음을 나타내고 있으므로 '떡볶이든 순대든'으로 고쳐 써야 합니다.

2 '인분'은 수를 나타내는 말 뒤에서는 띄어 써야 하므로 '일∨인분', '이∨인분'으로 띄어 써야 합니다.

(더 알아보기)
'인분'은 숫자 뒤에서는 붙여 써야 합니다.
예 1인분, 2인분, 5인분

23쪽 똑똑한 하루 글쓰기 마무리

첫째, 즉석 음식을 자주 먹으면 ❶ 예 우리 몸에 필요한 영양소를 골고루 섭취하지 못합니다. 성장기 어린이들은 영양소를 골고루 섭취해야 하는데 즉석 음식에는 영양소가 골고루 들어 있지 않습니다. / 둘째, 즉석 음식을 자주 먹으면 ❷ 예 높은 열량 때문에 비만이 되기 쉽습니다. 대부분의 즉석 음식은 기름지고 설탕이 많이 들어가 있어서 많이 먹으면 살이 찌게 됩니다.

○ 주장에 알맞은 근거를 두 가지 써서 연설문의 가운데 부분을 완성해 봅니다.

채점 기준

구분	답안 내용	
평가 기준	❶과 ❷에 알맞은 내용을 모두 넣어 연설문의 가운데 부분을 잘 썼습니다.	상
	❶과 ❷에 알맞은 내용을 모두 넣어 썼지만 맞춤법이 틀린 부분이 있습니다.	중
	❶과 ❷ 중 한 가지 내용만 맞게 썼습니다.	하

3일

25쪽

똑똑한 하루 글쓰기 미리 보기

– 희 망 , – 권 유 ,

– 반 복

26~27쪽

똑똑한 하루 글쓰기

1 여러분, 앞으로 자전거를 탈 때에는 안 전 수 칙 을 잘 지키며 탑시다.

2 여러분이 조금만 주의를 기울인다면 우리는 안전하고 재 미 있 게 자 전 거 를 탈 수 있 을 것입니다.

3
	여	러	분	,		앞	으	로	V	자	전	거	를	V
탈	V	때	에	는	V	안	전	V	수	칙	을	V	잘	V
지	키	며	V	탑	시	다	.	여	러	분	이	V	조	
금	만	V	주	의	를	V	기	울	인	다	면	V	우	
리	는	V	안	전	하	고	V	재	미	있	게	V	자	
전	거	를	V	탈	V	수	V	있	을	V	것	입	니	
다	.													

1 글쓴이의 주장인 '자전거를 탈 때 안전 수칙을 잘 지키며 탑시다.'를 반복해서 써 봅니다.

2 보기 에서 알맞은 내용을 골라 1에서 답한 내용에 이어질 내용을 써 봅니다.

3 1과 2에서 쓴 내용을 넣어 '자전거를 탈 때 안전 수칙을 잘 지키며 탑시다.'라고 주장하는 연설문의 끝부분에 들어갈 내용을 써 봅니다.

채점 기준

주장을 반복하고 희망적으로 마무리하여 연설문의 끝부분을 잘 썼으면 정답입니다.

28쪽

똑똑한 하루 글쓰기 고쳐쓰기

1 방 해 물 이나 행인이 있을 경우 큰 사고로 이어질 수 있습니다.

2
	저	는	V	며	칠	V	전	에	V	아	파	트	V
입	구	에	서	V	자	전	거	를	V	타	던	V	친
구	가	V	행	인	과	V	부	딪	쳐	V	넘	어	지
는	V	사	고	를	V	목	격	한	V	적	이	V	있
습	니	다	.										

1 '장애물'과 '방해물'은 뜻이 비슷합니다. '방해물'로 바꾸어 써도 문장의 뜻이 변하지 않습니다.

왜 틀렸을까?

'분실물'은 '잃어버린 물건.'이라는 뜻의 '유실물'과 바꾸어 쓸 수 있습니다.

2 '며칠전에'는 '며칠∨전에'로, '목격한적이'는 '목격한∨적이'로 고쳐 써야 합니다.

29쪽

똑똑한 하루 글쓰기 마무리

예
	여	러	분	,		재	활	용	률	을		높	이	는
올	바	른		분	리	배	출	에		우	리		모	
두		동	참	해	서		자	원	과		돈	을		
아	끼	고		환	경	도		지	킵	시	다	.		

예
	여	러	분	,		조	금	만		노	력	하	면
우	리		모	두		깨	끗	한		환	경	에	서
살		수		있	습	니	다	.	함	께		재	활
용	품		분	리	배	출	을		올	바	르	게	
합	시	다	.										

○ 보기 에서 알맞은 내용을 골라 연설문의 끝부분을 써 봅니다.

채점 기준

구분	답안 내용	
평가 기준	보기 에서 두 가지 중 한 가지를 골라 알맞게 썼습니다.	상
	보기 에서 한 가지 답을 골라 썼지만 맞춤법이나 원고지 쓰기에서 틀린 부분이 있습니다.	중
	연설문의 내용과 관련 없는 내용을 썼습니다.	하

31쪽

똑똑한 하루 글쓰기 미리 보기

32~33쪽

똑똑한 하루 글쓰기

1 어린이 여러분! 여러분이 흘린 연필, 지우개, 모자 등은 도대체 어디에 있을까요? 학교 1층에 있는 분실물 보관함에는 주인을 잃은 물건들이 주인을 애타게 기다리고 있습니다. 이제 물건을 잃어버렸을 때 새로 사지 말고 분실물 보관함에 가서 찾아 봅시다.

2 ❶ 잃어버린 물건을 매번 새로 사면 돈이 낭비됩니다.

❷ 연필이나 지우개 등 여러 물건을 더 많이 만들어 내기 위해 소중한 자원을 낭비하게 됩니다.

3 예 여러분의 작은 노력으로 소중한 돈과 자원을 아낄 수 있습니다.

예 여러분이 조금만 관심을 가지면 우리의 돈과 자원을 절약할 수 있습니다.

1 연설문의 처음 부분에 들어갈 문제 상황과 주장을 씁니다.

2 연설문의 가운데 부분에 들어갈 주장을 뒷받침하는 근거를 씁니다.

3 1과 2에서 쓴 내용을 바탕으로 연설문의 끝부분에 들어갈 내용을 써 봅니다.

채점 기준

'잃어버린 물건을 빨리 찾아갑시다.'라고 주장하는 연설문을 희망적으로 마무리했으면 정답으로 합니다.

34쪽

똑똑한 하루 글쓰기 고쳐쓰기

1 열흘

2 친구들이 ∨ 귀찮아서 ∨ 찾아가지 ∨ 않는다는 ∨ 생각밖에 ∨ 들지 ∨ 않아.

1 '열흘'은 '열 날.'을 뜻하는 우리말입니다.

2 '생각밖에 들어.'를 '생각밖에 들지 않아.'로 고쳐 써야 합니다.

35쪽

똑똑한 하루 글쓰기 마무리

예 여러분! 우리 주변을 보면 피부색이 다르다고, 공부를 못한다고, 또는 마음에 들지 않는다는 이유로 친구를 따돌리는 친구들이 있습니다. 우리는 이 행동이 잘못된 행동이라는 것을 이미 알고 있습니다. 함께 공부하며 지내는 친구를 따돌리지 맙시다.

친구를 따돌리면 따돌림을 당한 친구는 마음의 상처를 입게 되고 학교생활이 즐겁지 않을 것입니다. 누구에게도 다른 사람의 행복을 빼앗고 짓밟을 권리는 없습니다.

따돌리는 친구들도 나쁜 습관을 갖게 되어 사람들을 존중할 줄 모르고 커서도 사람들과 잘 지내지 못하게 될 것입니다. 다른 사람을 괴롭히는 사람을 제대로 된 사람으로 대우해 주는 곳은 없습니다. 친구를 괴롭히며 느껴야 할 마음은 즐거움이 아니라 부끄러움입니다.

여러분! 함께 지내는 친구를 따돌리지 맙시다. 사랑으로 친구를 대하며 함께 어울리면 학교생활을 더 즐겁게 할 수 있을 것입니다.

● '친구 간에 집단 따돌림을 하지 맙시다.'라는 주장으로 연설문을 써 봅니다.

채점 기준

구분	답안 내용	
평가 기준	문제 상황과 주장, 주장에 대한 근거, 희망적인 마무리를 넣어 연설문을 잘 썼습니다.	상
	문제 상황과 주장에 맞게 연설문을 썼으나 맞춤법이 틀린 부분이 있습니다.	중
	주장에 대한 근거가 알맞지 않거나 그림의 내용과 상관없는 연설문을 썼습니다.	하

5일

37쪽 똑똑한 하루 글쓰기 미리 보기

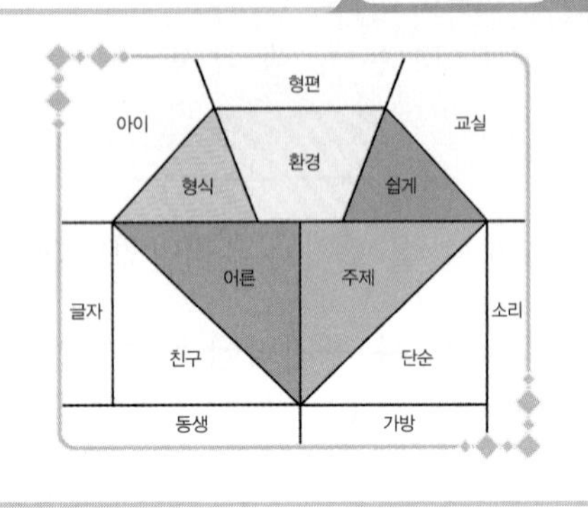

38~39쪽 똑똑한 하루 글쓰기

1 여러분! 저는 동물인 돌고래도 마땅히 자유를 누릴 권리가 있다고 생각합니다. 좁은 수족관에 갇혀 있는 [돌][고][래]를 바다로 보내 주세요.

2 ❶ 활동량이 많은 돌고래에게 수족관은 너무 좁고, 돌고래 쇼를 위한 훈련 때문에 돌고래가 [스][트][레][스][를] 많이 [받][습][니][다].
❷ 인간과 동물은 더불어 살아야 합니다. 인간에게는 동물을 부릴 [권][리][가] [없][습][니][다].

3 예 돌고래는 자유를 찾아 행복하게 살 수 있을 것입니다.
예 돌고래는 바다로 돌아가서 자유롭게 살 수 있을 것입니다.

1 연설문의 처음 부분에 문제 상황과 주장을 씁니다.

2 연설문의 가운데 부분에 주장에 대한 근거를 씁니다.

3 1과 2에서 쓴 내용을 바탕으로 연설문의 끝부분에 들어갈 내용을 써 봅니다.

채점 기준

'돌고래를 바다로 보내 주세요.'라고 주장하는 연설문을 희망적으로 마무리했으면 정답으로 합니다.

더 알아보기

연설하고 싶은 내용을 정할 때 주의할 점

문제 상황을 해결할 수 있는 주장을 정할 때에는 그 주장이 가치가 있고 중요한 것인지, 실천 가능한 것인지, 적절한 근거를 들어 말할 수 있는 것인지 충분히 생각하여 정합니다.

40쪽 똑똑한 하루 글쓰기 고쳐쓰기

1 인간과 동물은 [함][께] 살아야 합니다.

2 돌고래가∨좁은∨수족관에∨갇혀∨스트레스를∨받고∨있습니다.

1 '더불어'는 '함께'와 바꾸어 쓸 수 있습니다.

2 '조븐'은 '좁은'으로, '가쳐'는 '갇혀'로 고쳐 씁니다.

41쪽 똑똑한 하루 글쓰기 마무리

여러분, 요즘 공원을 산책할 때나 길을 걸을 때 사람들이 반려동물을 산책시키는 것을 많이 볼 수 있죠? 저는 얼마 전에 엄마와 공원을 산책하다가 강아지의 배설물을 밟은 적이 있습니다. 기분 좋게 산책을 하다가 몹시 당황스럽고 불쾌했습니다. 여러분, ❶ 예 반려동물을 산책시킬 때 배설물을 잘 치웁시다. 지금부터 반려동물의 배설물을 잘 치워야 하는 이유에 대해 말씀드리겠습니다. / 첫째, 이웃들이 깨끗하고 쾌적한 환경에서 산책할 수 있습니다. / 둘째, 반려동물의 배설물 문제로 이웃끼리 ❷ 예 다투거나 갈등이 생기는 것을 막을 수 있습니다. / 여러분, 반려동물을 산책시킬 때 조금만 신경을 쓰면 우리 모두 ❸ 예 깨끗한 환경에서 산책하며 지낼 수 있고, 치우지 않은 반려동물의 배설물 때문에 얼굴을 붉히는 일이 사라질 것입니다. 반려동물을 산책시킨 길에 배설물이 남지 않도록 잘 치웁시다.

● 빈칸에 알맞은 말을 넣어 연설문을 완성해 봅니다.

채점 기준

구분	답안 내용	
평가 기준	❶~❸을 모두 알맞게 썼습니다.	상
	❶~❸ 중 두 가지만 알맞게 썼습니다.	중
	❶~❸ 중 한 가지만 알맞게 썼습니다.	하

특강 똑똑한 하루 창의·융합·코딩

43쪽

"[달][걀][로] [바][위] [치][기]"라더니 아무리 힘을 써도 형은 꿈쩍도 안 했다.

44쪽

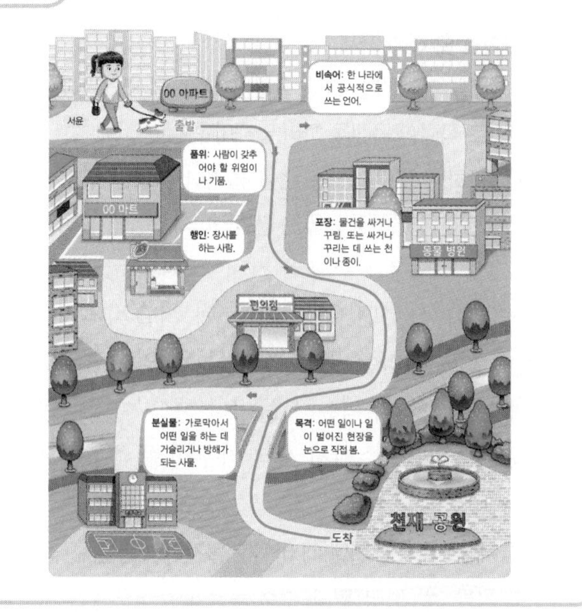

◉ '비속어'는 '고상하지 않고 품위가 없는 천한 말.'이라는 뜻이고, '행인'은 '길을 가는 사람.'이라는 뜻이고, '분실물'은 '자기도 모르는 사이에 잃어버린 물건.'이라는 뜻입니다.

왜 틀렸을까?

- '한 나라에서 공식적으로 쓰는 언어.'라는 뜻의 낱말은 '표준어'입니다.
- '장사를 하는 사람.'을 뜻하는 낱말은 '상인'입니다.
- '가로막아서 어떤 일을 하는 데 거슬리거나 방해가 되는 사물.'을 뜻하는 낱말은 '장애물'입니다.

45쪽

◉ 떡볶이 2인분은 $3000\times2=6000$원, 만두 2인분은 $1500\times2=3000$원입니다. 총금액 16500원에서 떡볶이와 만두의 금액인 9000원을 빼면 7500원이 되고, $7500\div2500=3$이므로 달래는 순대를 3인분 포장했습니다.

46쪽

나연이가 찾는 물건은 인 형, 지 우 개 예요.

◉ 코딩 명령에 따라 이동하면 다음과 같습니다.

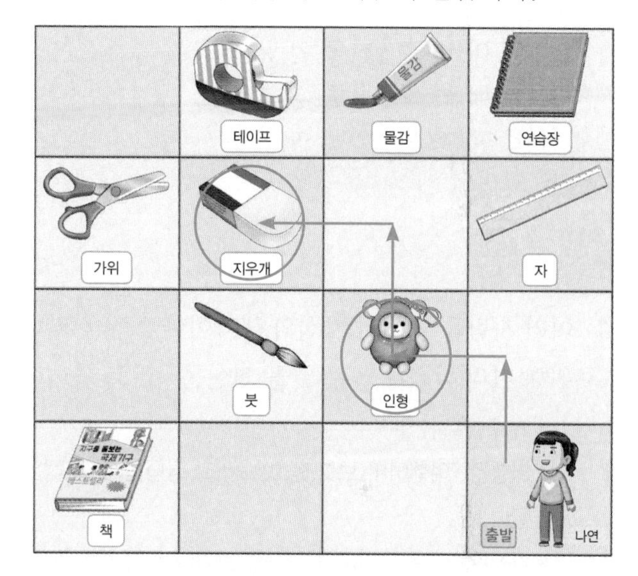

47쪽

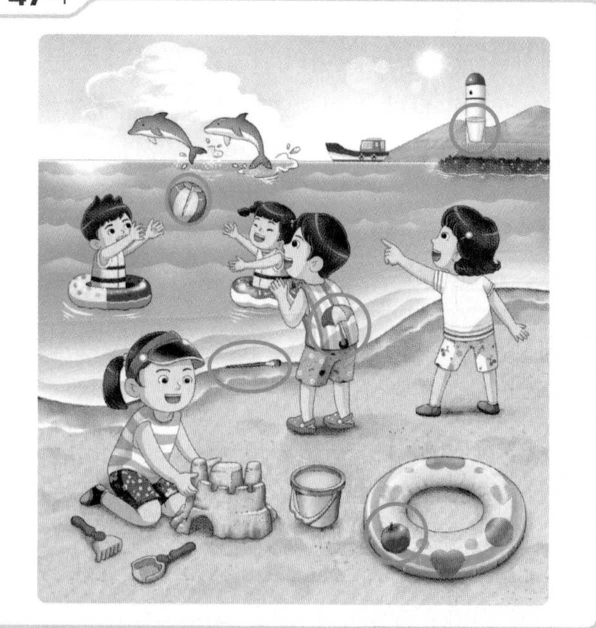

◉ 다섯 개의 숨은 그림을 찾아 봅니다.

평가 누구나 100점 테스트

48~49쪽

1 연설문 2 (1) ○

3 (V) 비 속 어 를 V 쓰 지 V 말 자 .

4 다 회 용 기

5 글봇 6 ③

7 안 전 수 칙, 자 전 거

8 (2) ○

9 (V) 잃 어 버 린 V 물 건 을 V 매 번 V 새 로 V 사 면 V 돈 이 V 낭 비 됩 니 다 .

10 갇 혀

1 여러 사람들 앞에서 자신의 생각이나 의견을 말하기 위해 미리 작성해 놓은 글을 연설문이라고 합니다.

왜 틀렸을까?
- **기행문**: 여행하며 보고 듣고 느끼고 경험한 것을 적은 글.
- **감상문**: 어떤 물건이나 현상을 보거나 듣고 나서 느낀 것을 쓴 글.

2 제시된 글에는 듣는 이의 관심을 끄는 말과 문제 상황, 주장이 나타나 있으므로 연설문의 처음 부분에 해당합니다.

3 글쓴이는 '비속어를 쓰지 말자.'라는 주장으로 연설문을 썼습니다.

4 제시된 글은 '다회용기를 사용하자.'라는 주장에 대한 근거를 쓴 것입니다.

왜 틀렸을까?
일회용기는 한 번만 쓰고 버리는 그릇이므로 글쓴이의 주장과 관련이 없습니다.

5 '다회용기를 사용하자.'라는 주장에 알맞은 근거를 들어 연설한 친구는 글봇입니다.

더 알아보기
연설을 할 때의 자세
- 연설을 할 때에는 그냥 말하는 것이 아니라 알맞은 목소리로 적절한 몸짓을 하며 말해야 합니다.
- 강조하는 부분에서는 손을 들거나 중요한 부분에서는 잠깐 침묵하는 것도 좋은 방법입니다.

6 '가로막아서 어떤 일을 하는 데 거슬리거나 방해가 되는 사물.'이라는 뜻의 '장애물'은 '일이 제대로 되지 않게 간섭하거나 막는 사물이나 현상.'이라는 뜻의 '방해물'과 뜻이 비슷해서 서로 바꾸어 쓸 수 있습니다.

왜 틀렸을까?
① **제물**: 제사를 지낼 때 바치는 물건이나 동물.
② **곡물**: 쌀, 보리, 밀, 옥수수 등 주로 주식으로 쓰이는 먹을거리.
④ **유실물**: 잃어버린 물건.
⑤ **분실물**: 자기도 모르는 사이에 잃어버린 물건.

7 연설문의 끝부분에는 핵심 주장을 반복하고 희망적으로 마무리합니다.

8 글쓴이는 물건을 잃어버렸을 때 새로 사지 말고 분실물 보관함에 가서 찾아 보자고 주장하고 있습니다.

9 보기 에서 알맞은 낱말을 골라 빈칸에 각각 쓰고, 문장을 따라 써 봅니다.

10 '갇혀'는 소리 나는 대로 쓰지 않고, 맞춤법에 맞게 써야 합니다.

52~53쪽

2주에는 무엇을 공부할까? ❷

1-1 (3) ○ 1-2 조 사 보 고 서
2-1 (2) × 2-2 특 징, 변 화

1-1 조사 보고서는 어떠한 대상을 자세히 알기 위하여 살펴보거나 찾아본 것의 내용이나 결과를 나타낸 글입니다. (1)은 기행문 (2)는 주장하는 글에 대한 설명입니다.

1-2 달래는 토마토 축제의 유래와 진행 방식을 조사한 조사 보고서를 쓰려 합니다.

2-1~2-2 조사 보고서에 조사 내용을 쓸 때에는 조사 대상의 특징을 설명하여 쓰거나 조사 대상의 변화를 중심으로 쓸 수 있습니다. 이때, 관련된 사진과 같은 자료를 넣어 주면 좋습니다.

1일

55쪽

똑똑한 하루 글쓰기 미리 보기

56~57쪽

똑똑한 하루 글쓰기

1 (1) 조사 대상: 호 른, 팬 플루트
(2) 조사 방법: 인 터 넷 검색, 책
2 조사 목적: 호 른 과 팬 플 루 트 조 사를 통해 악 기 에 대 한 지 식을 쌓는다.
3

조사 대상	❶ 예 호른, 팬 플루트
조사 방법	❷ 예 인터넷 검색, 책
조사 목적	❸ 예 호른과 팬 플루트 조사를 통해 악기에 대한 지식을 쌓는다.

1 민수와 소이는 호른과 팬 플루트를 인터넷 검색과 책으로 조사하기로 하였습니다.

2 민수와 소이가 조사 보고서를 쓰려는 목적은 호른과 팬 플루트 조사를 통해 악기에 대한 지식을 쌓기 위해서입니다.

3 1과 2에서 쓴 내용을 넣어 조사 보고서의 처음 부분에 들어갈 내용을 써 봅니다.

채점 기준

조사 대상과 방법, 목적을 알맞게 썼으면 정답입니다.

58쪽

똑똑한 하루 글쓰기 고쳐쓰기

1 호른은 몸체의 관이 복잡하게 얽 혀 있다.
2

	팬	∨	플	루	트	는	∨	생	김	새	가	∨	막
대	기	를	∨	여	러	∨	개	∨	붙	인	∨	것	∨
같	다	.											

1 '얽히다'는 '얽다'에 '남의 힘에 의해 움직이는 일.'이라는 뜻을 더해 주는 말인 '-히-'가 붙어서 생겨난 말입니다. '얽이다'는 '얽히다'의 잘못된 표현입니다.

더 알아보기

'-히-'와 같이 '남의 힘에 의해 움직이는 일.'이라는 뜻을 더해 주는 말에는 '놓이다'의 '-이-', '팔리다'의 '-리-', '담기다'의 '-기-'와 같은 말들이 있습니다.

2 '개'와 '것'은 한 낱말이므로 앞말과 띄어 써야 합니다.

59쪽

똑똑한 하루 글쓰기 마무리

조사 대상	❶ 예 우리 반 친구들의 희망 직업
조사 방법	❷ 예 설문지
조사 목적	❸ 예 우리 반 친구들이 희망하는 직업 순위를 알아본다.

○ 친구들의 대화를 잘 읽고 ❶~❸에 들어갈 말을 찾아 써넣어 조사 보고서의 처음 부분을 완성해 봅니다.

채점 기준

구분	답안 내용	
평가 기준	❶~❸에 조사 대상과, 조사 방법, 조사 목적을 각각 알맞게 썼습니다.	상
	❶~❸ 중 두 군데만 알맞게 답을 썼습니다.	중
	❶~❸ 중 한 군데만 알맞게 답을 썼습니다.	하

2일

61쪽 똑똑한 하루 글쓰기 미리 보기

❶ 특 징
❷ 생 김 새
❸ 사 진

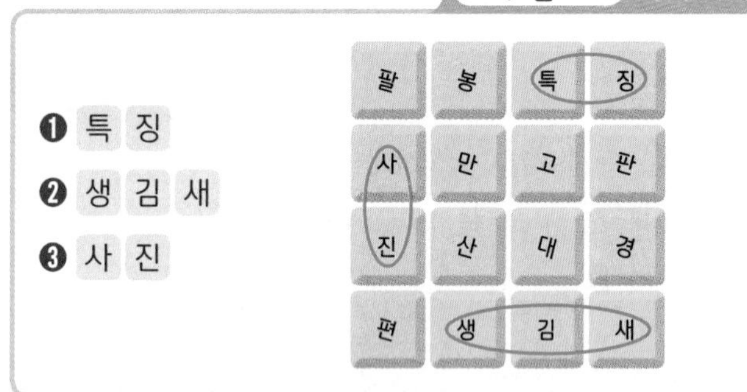

62~63쪽 똑똑한 하루 글쓰기

1 종묘는 조 선 시대 임금과 왕비의 위 패 를 모셔 놓은 장소이다.

2 정전: 우 리 나 라 에 서 가 장 긴 목 조 건 물 로, 조선 시대 임금과 왕비의 위패가 모셔진 열아홉 개의 방이 늘어서 있다.

3 조사 내용
1. 종묘란?
   ❶ 예 종묘는 조선 시대 임금과 왕비의 위패를 모셔 놓은 장소이다. 위패는 죽은 사람의 이름을 적은 나무패를 말한다. 조선의 임금은 이곳에서 종묘 제례라 불리는 제사를 지냈다.
2. 종묘에 있는 건물은?
   – 정전: ❷ 예 우리나라에서 가장 긴 목조 건물로, 조선 시대 임금과 왕비의 위패가 모셔진 열아홉 개의 방이 늘어서 있다.
   – 영녕전: 정전에 있던 위패를 옮겨 모시기 위한 건물이다. 구조는 정전과 비슷하지만 크기와 규모가 더 작다.

1 종묘는 조선 시대 임금과 왕비의 위패를 모셔 놓은 장소입니다.

2 정전은 우리나라에서 가장 긴 목조 건물로 조선 시대 임금과 왕비의 위패가 모셔진 열아홉 개의 방이 늘어서 있습니다.

3 1과 2에서 쓴 내용을 넣어 조사 보고서의 조사 내용을 완성해 봅니다.

채점 기준

정전의 특징이 잘 드러나도록 띄어쓰기와 맞춤법에 맞게 조사 내용을 썼으면 정답입니다.

64쪽 똑똑한 하루 글쓰기 고쳐쓰기

1 이 제사를 종묘 제례라고 불 러 요.

2 ∨서울시∨종로구에∨위치한∨종묘에∨방문해∨본∨적∨있나요?

1 종묘 제례라고 가리켜 말하거나 이름을 붙인다는 뜻에서 '불러요'라고 써야 알맞습니다.

2 '방문해'와 '본'은 띄어 써야 하고, '적'도 앞말과 띄어 써야 합니다.

65쪽 똑똑한 하루 글쓰기 마무리

조사 내용
1. 초등학교 선생님이 하는 일
   – ❶ 예 학생들에게 공부를 가르친다.
   – 학생들이 올바른 가치관과 생활 태도를 가질 수 있도록 돕는다.
2. 초등학교 선생님이 되기 위한 방법
   – ❷ 예 초등학교 선생님이 되기 위한 지식을 가르치는 대학교에 간다.
   – 아이들을 사랑하는 마음과 아이들의 말과 행동을 이해하려는 태도를 가진다.

○ 면담 내용을 잘 읽고, 초등학교 선생님에 대한 설명이 잘 드러나도록 조사 내용을 써 봅니다.

채점 기준

구분	답안 내용	
평가 기준	❶과 ❷에 모두 알맞은 내용을 써서 조사 보고서의 조사 내용을 완성하였습니다.	상
	❶과 ❷에 모두 알맞은 내용을 썼지만 맞춤법이나 띄어쓰기에 틀린 부분이 있습니다.	중
	❶~❷ 중 한 곳에만 알맞은 답을 썼습니다.	하

3일

67쪽 똑똑한 하루 글쓰기 미리 보기

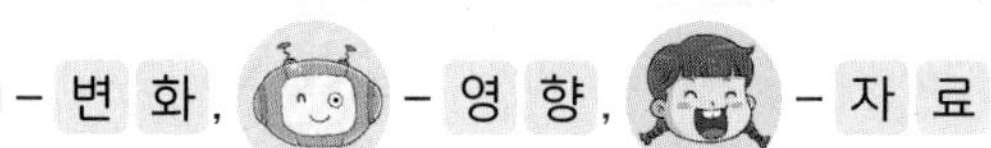

- 변 화, - 영 향, - 자 료

68~69쪽 똑똑한 하루 글쓰기

1 우리나라 인구에서 [아][이]들의 수는 줄어들고 [노][인]들의 수는 늘어나고 있다.

2 (1) 학생 수가 줄어들어 [폐][교][하][는] [학][교][가] 늘어난다.

(2) 노인을 위한 [복][지] [시][설][과] [제][도]가 늘어난다.

3

조사 내용

1. 우리나라 인구의 변화와 그 까닭

우리나라 인구에서 ❶ 예 아이들의 수는 줄어들고 노인들의 수는 늘어나고 있다. 이러한 일이 일어나는 까닭은 태어나는 아이들의 수는 줄어든 반면에 환경이 좋아지고 의료 기술이 발달해 사람들이 오래 살 수 있게 되었기 때문이다.

2. 인구의 변화가 사회에 미치는 영향

– ❷ 예 학생 수가 줄어들어 폐교하는 학교가 늘어난다.

– ❸ 예 노인을 위한 복지 시설과 제도가 늘어난다.

– 일할 수 있는 젊은 사람들이 줄어든다.

1 우리나라 인구에서 아이들의 수는 줄어들고 노인들의 수는 늘어나고 있다고 하였습니다.

2 학생 수가 줄어들어 폐교하는 학교가 늘어나는 반면 노인 인구는 늘어나므로 노인을 위한 복지 시설과 제도는 늘어나고 있다고 하였습니다.

3 **1**과 **2**에서 쓴 내용을 넣어 대상의 변화를 중심으로 쓴 조사 보고서의 조사 내용을 써 봅니다.

채점 기준

우리나라 인구의 변화와 그 변화가 우리 사회에 미치는 영향이 잘 드러나게 썼으면 정답입니다.

70쪽 똑똑한 하루 글쓰기 고쳐쓰기

1 기사에 따르면 아이들의 수가 [감][소][하][고] 노인들의 수가 [증][가][하][고] 있다.

2

	이	런	V	변	화	에	V	대	처	하	기	V	위
해	V	나	라	에	서	는	V	여	러	V	사	업	들
을	V	벌	이	고	V	있	대	.					

1 '줄고'는 '감소하고'와, '늘고'는 '증가하고'와 바꾸어 쓸 수 있습니다.

2 '일을 계획하여 시작하거나 펼쳐 놓고.'라는 뜻의 '벌이고'가 들어가야 문장의 뜻이 알맞습니다.

더 알아보기

• **벌리고**: 가까이 있거나 붙어 있는 둘 사이를 넓히거나 멀게 하고. 예 옆 사람과 충분히 간격을 벌리고 서라.

71쪽 똑똑한 하루 글쓰기 마무리

조사 내용

1. 다리미의 변화

– 예전에는 옷을 다릴 때 ❶ 예 인두와 숯다리미를 사용했다.

– 오늘날의 다리미는 ❷ 예 전기로 밑부분을 뜨겁게 만들거나 다리미 안의 물이 끓어 증기로 나오도록 하여 옷을 다린다.

2. 다리미의 변화가 생활에 미친 영향

– ❸ 예 불에 달구어 주거나 숯불을 갈아 줄 필요가 없어 옷을 빠르게 다릴 수 있다.

◎ 만화를 읽고, 다리미의 변화가 잘 드러나도록 조사 보고서의 조사 내용을 완성해 봅니다.

채점 기준

구분	답안 내용	
평가 기준	❶~❸에 모두 알맞은 내용을 써서 조사 보고서의 조사 내용을 완성하였습니다.	상
	❶~❸ 중 두 군데만 알맞은 답을 썼습니다.	중
	❶~❸ 중 한 군데만 알맞은 답을 썼습니다.	하

4일

73쪽 똑똑한 하루 글쓰기 미리 보기

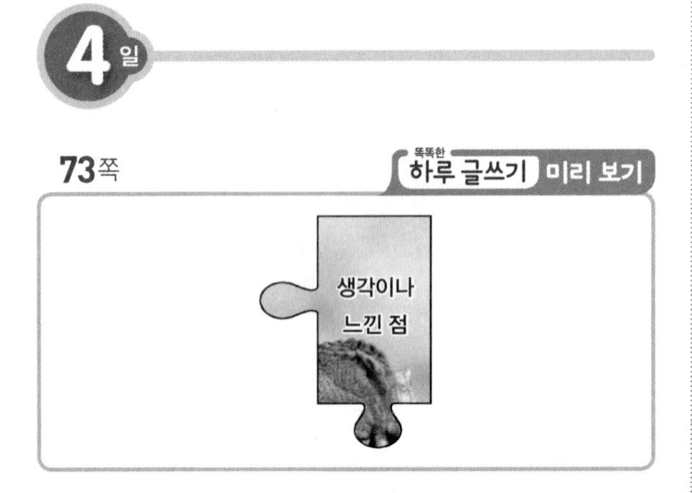

74~75쪽 똑똑한 하루 글쓰기

1 황사가 우리 몸과 산업, 환경에 끼치는 [피][해]가 많다는 것을 알게 되었다.

2 황사에 대해서 심각하게 생각하지 않았는데, 앞으로는 [경][계][하][는] [마][음][으][로] [황][사] [대][책][을] 잘 따라야겠다.

3
황사가∨우리∨몸과∨산업,
환경에∨끼치는∨피해가∨많다
는∨것을∨알게∨되었다. 황사
에∨대해서∨심각하게∨생각하
지∨않았는데, 앞으로는∨경계
하는∨마음으로∨황사∨대책을∨
잘∨따라야겠다.

1 황사로 불어온 흙먼지는 우리 몸과 산업, 환경에 많은 피해를 끼칩니다.

2 앞으로는 황사 대책을 경계하는 마음으로 잘 따라야겠다는 내용이 오는 것이 알맞습니다.

3 1과 2에서 쓴 내용을 넣어 조사 보고서에 들어갈 생각이나 느낀 점을 써 봅니다.

채점 기준

황사를 조사하고 든 생각이나 느낀 점을 맞춤법과 띄어쓰기에 알맞게 썼으면 정답입니다.

더 알아보기

우리나라에는 황사 외에도 폭염, 홍수, 지진, 가뭄과 같은 자연재해가 일어납니다.

76쪽 똑똑한 하루 글쓰기 고쳐쓰기

1 예 황사에는 우리 몸에 [해][로][운] 물질들이 포함되어 있어 눈병, 알레르기와 같은 질병을 일으킨다.
예 황사에는 우리 몸에 [유][해][한] 물질들이 포함되어 있어 눈병, 알레르기와 같은 질병을 일으킨다.

2
황사는∨중국이나∨몽골의∨
사막에서∨생긴∨아주∨작은∨
흙먼지가∨우리나라까지∨날아
와∨내려앉는∨현상이다.

1 '좋지 않은'은 '해로운' 또는 '유해한'으로 바꿔 쓸 수 있습니다.

2 '흑먼지'는 '흙먼지'로, '내려안는'은 '내려앉는'으로 고쳐 써야 합니다.

77쪽 똑똑한 하루 글쓰기 마무리

예
알을 지키기 위해 거의
아무것도 먹지 않고 버티는
수컷 펭귄이 대단하다고 느
꼈다.

예
펭귄이라고 하면 귀여운
모습만 생각났었는데 추운
남극에서 치열하게 살아가고
있다는 것을 알게 되었다.

◎ 조사 보고서의 내용을 읽고, 조사 보고서에 어울리는 생각이나 느낀 점을 써 봅니다.

채점 기준

구분	답안 내용	
평가 기준	보기 에서 생각이나 느낀 점을 한 가지 골라 썼습니다.	상
	보기 에서 생각이나 느낀 점을 한 가지 골라 썼지만 맞춤법이나 띄어쓰기에 틀린 부분이 있습니다.	중
	조사 보고서에 어울리지 않는 생각이나 느낀 점을 썼습니다.	하

5일

79쪽 똑똑한 하루 글쓰기 미리 보기

80~81쪽 똑똑한 하루 글쓰기

1 정보 기술의 발달이 가져온 우리 일상생활의 [변][화]를 알아보고, 우리가 갖춰야 할 [태][도]를 바르게 안다.

2 (1) [인][터][넷][으][로] [쉽][게] [정][보]를 얻거나 물품 구매를 할 수 있으며, 댓글 등으로 다른 사람들과 정보를 나누거나 자신의 일상을 공유할 수 있다.

(2) [사][생][활][이][나] [저][작][권] [침][해]의 문제, 헛소문·비난·욕설로 인한 피해와 같은 문제점들이 심해지거나 새롭게 생겨났다.

3 예 정보화 사회에서 갖춰야 할 태도를 항상 마음에 새겨야겠다. / 예 정보 기술의 발달로 생기는 좋은 점만큼이나 나쁜 점도 많다는 사실이 놀라웠다.

1 기찬이는 정보 기술의 발달로 우리 일상생활에 일어난 변화와 우리가 가져야 할 태도를 알려 합니다.

2 정보 기술의 발달로 어떤 이로운 점과 문제점이 생겨났는지 생각해 봅니다.

3 조사 보고서에 들어갈 생각이나 느낀 점을 **1**과 **2**의 내용에 어울리도록 써 봅니다.

채점 기준

1과 **2**의 내용에 어울리는 생각이나 느낀 점을 맞춤법과 띄어쓰기에 알맞게 썼으면 정답입니다.

82쪽 똑똑한 하루 글쓰기 고쳐쓰기

1 구매자들은 댓글이나 별점으로 제품을 서로 [견주어] 볼 수 있다.

2
	정	보	화	∨	사	회	에	서	는	∨	책	이	∨
없	어	도	∨	인	터	넷	∨	검	색	만	으	로	∨
쉽	게	∨	정	보	를	∨	얻	을	∨	수	∨	있	어
요	.												

1 '비교해'는 '견주어'와 바꾸어 쓸 수 있습니다.

2 '만'과 '-만'의 차이를 바르게 알고 알맞게 띄어쓰기를 해 봅니다.

83쪽 똑똑한 하루 글쓰기 마무리

예

조사 날짜	20○○년 10월 15일 목요일
조사 대상	서울시의 상징
조사 방법	인터넷 검색
조사 목적	우리 고장의 상징 조사를 통해 우리 고장에 대한 지식을 넓힌다.
조사 내용	1. 우리 고장의 휘장 - '서울'이라는 글자를 산, 해, 강으로 나타내면서 사람의 모습처럼 배치하였다. 서울의 환경과 발전, 사람의 활력을 상징한다. 2. 우리 고장의 자연 상징물 - 시민들의 협동 정신을 상징하는 개나리, 도시의 끝없는 성장을 상징하는 은행나무, 예로부터 길조로 사랑 받아 온 까치이다.
생각이나 느낀 점	각 상징물에 우리 고장이 추구하는 가치가 담겨 있다는 점이 흥미로웠다.

◎ 조사 날짜, 대상, 방법, 목적, 내용, 생각이나 느낀 점을 모두 갖춰 우리 고장 조사 보고서를 한 편 써 봅니다.

채점 기준

구분	답안 내용	
평가 기준	조사 보고서에 들어갈 내용을 모두 갖춰 우리 고장 조사 보고서를 잘 썼습니다.	상
	조사 보고서에 들어갈 내용을 모두 갖춰 우리 고장 조사 보고서를 썼지만 어색한 표현이 있습니다.	중
	조사 보고서의 내용 중 빠뜨린 것이 있거나 우리 고장과 관련 없는 조사 보고서를 썼습니다.	하

특강

똑똑한 하루 창의·융합·코딩

85쪽

"까마귀 날자 배 떨어진다"더니 그냥 지나가는데 옆에 쌓여 있던 책이 무너져 선생님께 조심하라고 혼이 났다.

86쪽

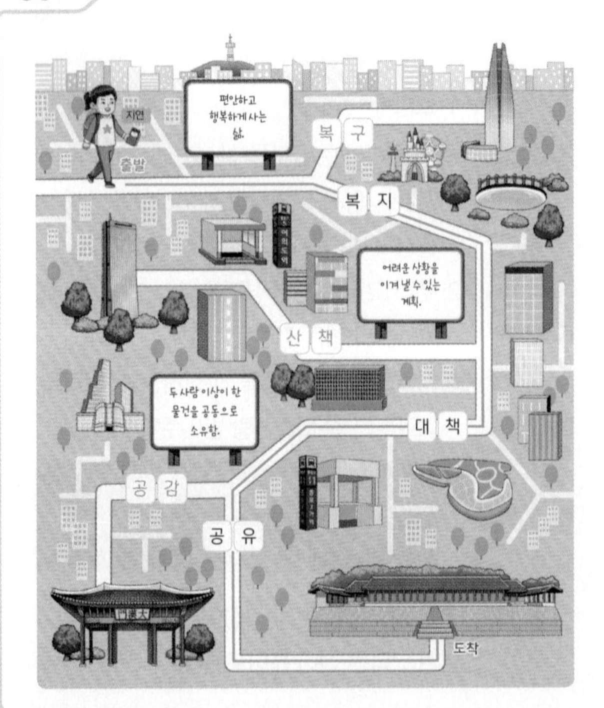

◎ '편안하고 행복하게 사는 삶.'이라는 뜻의 낱말은 '복지'이고, '어려운 상황을 이겨 낼 수 있는 계획.'이라는 뜻의 낱말은 '대책'입니다. '두 사람 이상이 한 물건을 공동으로 소유함.'이라는 뜻의 낱말은 '공유'입니다.

왜 틀렸을까?

- **복구**: 고장 나거나 파괴된 것을 이전의 상태로 되돌림.
- **산책**: 잠깐 쉬거나 건강을 위해서 주변을 천천히 걷는 일.
- **공감**: 다른 사람의 마음이나 생각에 대해 자신도 그렇다고 똑같이 느낌.

87쪽

오케스트라에서는 바이올린, 비올라, 첼로와 같은 현악기와 플루트, 오보에, 바순과 같은 관악기, 트라이앵글, 실로폰, 팀파니와 같은 타악기가 사용된다. 보통 현악기가 맨 앞에 위치하고 관악기가 중간, 타악기가 맨 뒤에 위치한다.

◎ 오케스트라에서 쓰이는 악기에 대해 알아봅니다.

더 알아보기

오케스트라는 현악기, 관악기, 타악기 따위로 함께 연주하는 음악인 관현악을 연주하는 단체입니다.

88쪽

(4) ○

◎ 자연재해에 대한 설명을 읽고, 우리나라에서 일어나는 자연재해 중 어떤 것에 대한 내용인지 찾아 봅니다.

89쪽

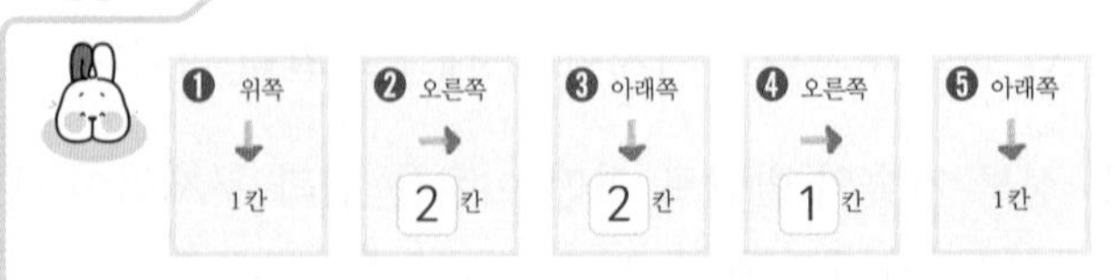

◎ 배달원 아저씨가 다른 곳에 들르지 않고 물건을 모두 전달하려면 다음과 같이 이동해야 합니다.

평가 누구나 100점 테스트

90~91쪽

1 (3) ○ 2 민수

3 (1) ○

4

	조	선	V	시	대	V	임
금	과	V	왕	비	의	V	위
패	를	V	모	신	V	장	소
이	다	.					

5 우리나라 [인][구]의 변화

6 (1) ○ 7 ③

8 은하

9 [알]을 지키기 위해 거의 아무것도 [먹][지] [않][고] 버티는 수컷 펭귄이 대단하다고 느꼈다.

10 (2) ×

1 어떠한 대상을 자세히 알기 위하여 살펴보거나 찾아본 것의 내용이나 결과를 나타낸 글은 조사 보고서입니다.

2 민수가 인터넷 검색과 책으로 조사하자고 말하며 조사 방법을 이야기하고 있습니다.

3 제시된 글은 종묘에 대한 글입니다. 이 글을 참고하여 종묘에 대한 조사 보고서에 써야 하는 조사 내용은 종로구가 아닌 종묘에 대한 내용입니다.

4 종묘는 조선 시대 임금과 왕비의 위패를 모신 장소입니다.

5 우리나라 인구의 변화에 대하여 조사한 결과를 나타낸 조사 보고서입니다.

6 주어진 자료는 우리나라 인구에서 아이들의 수는 줄어들고 노인들의 수는 늘어나고 있는 상황을 보여 줍니다.

7 '좋지 않은'과 바꿔 쓸 수 있는 말은 '해로움이 있는.'이라는 뜻의 '유해한'입니다.

> **왜 틀렸을까?**
> '이로운'과 '유익한', '유리한'은 '이익이나 이로움이 있는.'이라는 뜻의 낱말이고, '무해한'은 '해로움이 없는.'이라는 뜻으로 '유해한'과 뜻이 서로 반대되는 낱말입니다.

8 황사는 농작물의 성장을 방해한다고 하였으므로 지영이의 말은 잘못된 말입니다.

9 황제펭귄은 암컷 펭귄이 먹이를 구하러 가면 수컷 펭귄이 알을 지키는데 그동안 수컷 펭귄은 얼음 조각 외에는 아무것도 먹지 않는다고 하였습니다.

10 조사 보고서의 가운데 부분에는 대상의 특징이나 변화를 중심으로 한 대상에 대한 설명이 들어갑니다. 여행의 과정과 일정, 본 것과 들은 것은 기행문에 들어가는 내용입니다.

94~95쪽 3주에는 무엇을 공부할까? ❷

1-1 (1) ① (2) ③ (3) ②　　1-2 대 사
2-1 (2) ○　　2-2 (2) ○

1-1 이야기를 희곡으로 바꾸어 쓸 때에 인물 간의 대화는 대사, 배경이나 인물에 대한 소개는 해설, 인물의 표정이나 몸짓에 대한 묘사는 지문으로 나타냅니다.

> 더 알아보기
> **희곡**
> 무대에서 공연하기 위해 쓰인 연극의 대본으로, 해설, 지문, 대사의 형식으로 이루어집니다. 지문과 대사를 통해 인물의 심리나 성격이 드러나고 사건이 전개됩니다.

1-2 ㉠은 인물 간의 대화이므로 대사로 바꾸어 씁니다.

2-1 이야기를 만화로 바꾸어 쓸 때에는 이야기의 배경, 인물, 사건을 몇 개의 장면으로 나누어 그린 다음, 말풍선 안에 대화를 넣어 나타냅니다.

2-2 이야기를 (1)은 희곡으로, (2)는 만화로 바꾸어 쓴 것입니다.

97쪽 똑똑한 하루 글쓰기 미리 보기

98~99쪽 똑똑한 하루 글쓰기

1 수: (잠시 머 뭇 거 리 다 커튼을 걷는다. 커튼을 걷던 손을 가늘게 떨며) 오! 잎이 떨어지지 않았어.
2 존 시: (탄 성 을 지르며) 정 말?
3 ❶ 수: (잠시 예 머뭇거리다 커튼을 걷는다. 커튼을 걷던 손을 가늘게 떨며) 오! 잎이 떨어지지 않았어.
❷ 예 존시: (탄성을 지르며) 정말?

1 수의 몸짓을 나타내는 낱말을 넣어 지문을 씁니다.

2 존시의 몸짓을 나타내는 말은 지문 안에 넣고, 존시가 한 말은 존시 이름을 쓴 다음 대사로 씁니다.

3 1과 2에서 쓴 내용을 넣어 이야기를 희곡으로 바꾸어 쓴 글을 완성합니다.

> 채점 기준
> ❶과 ❷를 모두 알맞게 썼으면 정답으로 합니다.

100쪽 똑똑한 하루 글쓰기 고쳐쓰기

1 잎새 마 저
2 수 는 ∨ 밤 새 ∨ 뒤 척 이 며 ∨ 밤 을 ∨ 지 새 울 ∨ 수 밖 에 ∨ 없 었 다 .

1 하나 남은 마지막임을 나타내는 낱말은 '마저'이므로 '잎새마저'라고 써야 합니다.

2 '수'는 앞말과 띄어 써야 하고 '밖에'는 앞말과 붙여 써야 하므로 '지새울∨수밖에'와 같이 띄어 씁니다.

101쪽 똑똑한 하루 글쓰기 마무리

예 수: (창가로 다가가 한참 동안 아직도 잎이 붙어 있는 담쟁이덩굴을 바라보다가 떨리는 목소리로) 존시, 창밖을 봐. 저 담쟁이덩굴에 붙어 있는 마지막 잎 말인데, 바람이 불어도 조금도 움직이질 않아. 좀 이상하지 않니? 저것은 베어먼 씨가 남긴 걸작이야. 마지막 잎이 떨어져 버린 날 밤, 베어먼 씨는 마지막 잎을 그려 놓은 거였어!

○ 지문과 대사를 써넣어 희곡을 완성해 봅니다.

채점 기준

구분	답안 내용	
평가 기준	수의 표정이나 몸짓에 대한 묘사는 괄호 안에 지문으로, 수가 한 말은 대사로 모두 알맞게 바꾸어 썼습니다.	상
	지문과 대사로 바꾸어 썼지만 일부 알맞지 않은 내용이 있습니다.	중
	지문과 대사 중 한 가지만 바꾸어 썼습니다.	하

2일

103쪽

똑똑한 하루 글쓰기 미리 보기

❶ 해 설
❷ 설 명
❸ 큰 따 옴 표

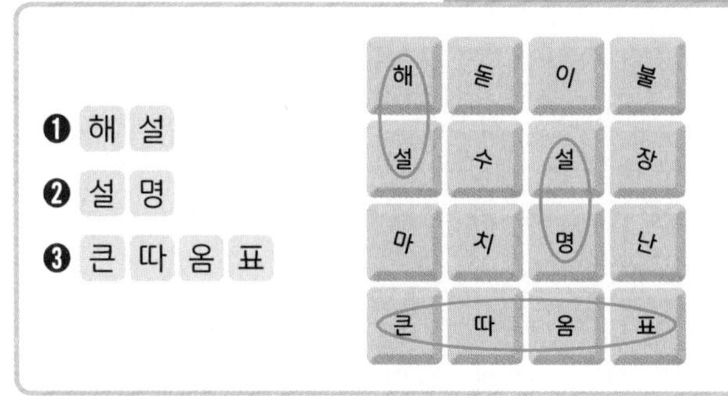

104~105쪽

똑똑한 하루 글쓰기

1 할머니와 함께 구둣방 문 뒤에 숨어 있던 할아버지께서는 나지막한 목소리로 말씀하셨어요.

2 "오늘도 착한 구둣방 할아버지를 위해 멋진 구두를 만들어 볼까?"

3 깜깜한 밤이 되었어요. 할머니와 함께 구둣방 문 뒤에 숨어 있던 할아버지께서는 ❶ 예 나지막한 목소리로 말씀하셨어요.

"누가 구두를 만들어 놓고 가는지 궁금하군. 오늘 밤은 잠을 자지 않고 몰래 엿봐야겠어."

창문을 통해 꼬마 요정들이 구둣방 안으로 들어왔어요. 꼬마 요정 하나가 다른 요정들을 바라보며 밝은 목소리로 말했어요.

❷ 예 "오늘도 착한 구둣방 할아버지를 위해 멋진 구두를 만들어 볼까?"

1 구둣방 문 뒤에 숨어 엿보는 상황에 어울리는 목소리는 나지막한 목소리입니다.

2 희곡을 이야기로 바꾸어 쓸 때에 인물이 직접 한 말이 나타난 대사는 큰따옴표 안에 인물의 말을 써서 나타내야 합니다.

3 **1**과 **2**에서 쓴 내용을 넣어 희곡을 이야기로 바꾸어 쓴 글을 완성합니다.

채점 기준

❶과 ❷를 모두 알맞게 썼으면 정답으로 합니다.

106쪽

똑똑한 하루 글쓰기 고쳐쓰기

1 나지막한

2 오늘∨밤은∨잠을∨자지∨않고∨몰래∨엿봐야겠어.

1 '소리가 꽤 낮은.'이라는 뜻의 낱말은 '나지막한'이라고 써야 합니다.

2 '아니'의 준말인 '안'은 '-지 않'과 바꾸어 써도 문장의 뜻이 변하지 않기 때문에 '안 자고'를 '자지 않고'로 바꾸어 쓸 수 있습니다.

107쪽

똑똑한 하루 글쓰기 마무리

"요정들에게 구두를 만들어 주어야겠어."

예 할아버지께서 고마움이 가득 담긴 표정을 지으시며 결심한 말투로 말씀하시자 할머니께서도 미소를 지으며 말씀하셨어요.
"그럼 나는 예쁜 옷을 지어 주어야지."

○ 할아버지와 할머니의 몸짓과 표정을 나타낸 지문과 직접 한 말인 대사를 이야기로 바꾸어 써 봅니다.

채점 기준

구분	답안 내용	
평가 기준	지문과 대사를 이야기로 모두 알맞게 바꾸어 썼습니다.	상
	지문과 대사를 이야기로 바꾸어 썼지만 문장 부호를 잘못 썼거나 알맞지 않은 내용이 있습니다.	중
	지문과 대사 중 한 가지만 바꾸어 썼습니다.	하

더 알아보기

희곡과 이야기는 둘 다 꾸며 낸 이야기로, 인물, 사건, 배경이 있다는 점이 공통점입니다.

3일

109쪽

똑똑한 하루 글쓰기 미리 보기

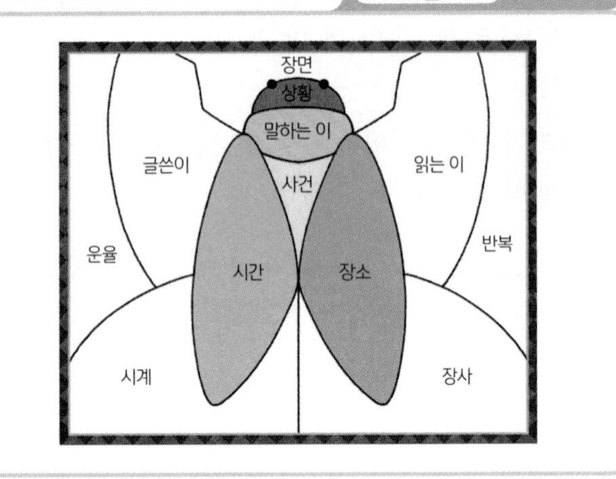

110~111쪽

똑똑한 하루 글쓰기

1 • 시간: 여 름 방 학

2 나는 숨죽여 살금살금 나 무 에 다 가 갔 다. 그러고는 잽싸게 한 손을 뻗어 매미를 낚아챘다. 분명히 매미를 잡은 줄만 알았는데, 손 안은 텅 비 어 있 었 다.

3 ❶ 여 름 방 학이 되어 할머니 댁으로 놀러 갔다. 매미 한 마리가 뒤꼍에 있는 나무에 앉아 매암매암 신나게 노래를 부르고 있었다. ❷ 예 나는 숨죽여 살금살금 나무에 다가갔다. 그러고는 잽싸게 한 손을 뻗어 매미를 낚아챘다. 분명히 매미를 잡은 줄만 알았는데, 손 안은 텅 비어 있었다. 나무에 앉아 노래하던 매미는 보이지 않는데 여전히 매암매암 매미의 노랫소리는 끊이지 않았다. 아쉬운 마음에 애꿎은 나무만 발로 찼다.

1 여름 방학 때 있었던 이야기로 바꾸어 쓴다고 했습니다.

더 알아보기

작품 속에서 이야기를 전해 주는 인물을 말하는 이라고 합니다.

2 '나'에게 일어난 일을 **보기**의 말을 이용해 정리합니다.

3 여름 방학(시간) 때에 할머니 댁 뒤꼍(장소)에서 '나'(이야기에서 말하는 이)에게 일어난 사건의 전개 과정을 정리하여 시를 이야기로 바꾸어 써 봅니다.

채점 기준

시의 내용을 이야기의 형식에 맞게 바꾸어 썼으면 정답으로 합니다.

112쪽

똑똑한 하루 글쓰기 고쳐쓰기

1 예 숨죽여 가 만 가 만 / 예 숨죽여 슬 금 슬 금

예 숨죽여 조 심 조 심

2 매미∨한∨마리가∨뒤꼍에∨있는∨나무에∨앉아∨매암매암∨신나게∨노래를∨부르고∨있었다.

1 '남이 알아차리지 못하도록 눈치를 살펴 가면서 살며시 행동하는 모양.'이라는 뜻의 낱말 '살금살금'은 '가만가만', '슬금슬금', '조심조심'과 바꾸어 써도 뜻이 변하지 않습니다.

2 단위를 나타내는 말인 '마리'는 앞말과 띄어 써야 하고, '집 뒤에 있는 뜰이나 마당.'이라는 뜻의 한 낱말인 '뒤꼍'은 붙여 써야 하므로 '한∨마리가∨뒤꼍에'로 띄어 써야 합니다.

113쪽

똑똑한 하루 글쓰기 마무리

예 문득 전학 간 소꿉친구 채이가 떠올랐다. 우리는 가을이 오면 알록달록 예쁜 단풍잎들을 모아 책장에 꽂아 두고는 했었다.

'채이에게 편지를 써서 오늘 주운 단풍잎과 함께 보내야지.'

○ 3연의 내용을 이야기로 바꾸어 써 봅니다.

채점 기준

구분	답안 내용	
평가 기준	3연의 내용을 앞뒤 내용과 자연스럽게 이어지도록 이야기로 바꾸어 썼습니다.	상
	3연의 내용을 이야기로 바꾸어 썼지만 앞뒤 내용과 자연스럽게 연결되지 않는 부분이 있습니다.	중
	앞뒤 내용과 자연스럽게 연결되게 이야기의 내용을 썼지만 3연의 내용과 맞지 않습니다.	하

4일

115쪽 똑똑한 하루 글쓰기 미리 보기

116~117쪽 똑똑한 하루 글쓰기

1 보고 싶은 할 머 니 보일까 싶어
어제, 또 오늘
언덕을 오르고, 또 오르다가

2 손녀는
발밑에 고개 숙인 꽃 한 송이에
등 이 굽 은 할 머 니 를 떠올리네

3

보고 싶은 손녀 찾아 한 고개, 또 한 고개 넘고, 또 넘다가	❶ 보고 싶은 예 할머니 보일까 싶어 어제, 또 오늘 언덕을 오르고, 또 오르다가
할머니는 눈이 쌓인 고갯마루에 쓰러지네	손녀는 ❷ 예 발밑에 고개 숙인 꽃 한 송이에 등이 굽은 할머니를 떠올리네

1 손녀 옥이가 언덕에 오른 것은 언덕에 오르면 할머니 계신 집이 보일까 싶었기 때문입니다.

2 손녀 옥이가 고개 숙인 꽃 한 송이를 보고 떠올린 것은 등이 굽은 할머니였습니다.

3 이야기의 내용을 짧고 운율이 있는 말로 바꾸어 시로 써 봅니다.

채점 기준

이야기의 내용을 짧고 운율이 있는 말로 알맞게 바꾸어 썼으면 정답으로 합니다.

118쪽 똑똑한 하루 글쓰기 고쳐쓰기

1 예 계신 / 예 계시는

2 가파른 ∨ 고개가 ∨ 한두 ∨ 개가 ∨ 아니었고, 고갯마루에는 ∨ 눈까지 ∨ 쌓여 ∨ 있었어요.

1 '있는'을 '계신', '계시는' 등의 높임말로 고쳐 써야 합니다.

2 수량이 하나나 둘임을 나타내는 낱말은 '한두'로, 고개에서 가장 높은 자리를 나타내는 낱말은 '고갯마루'로, 여러 개의 물건이 겹겹이 포개어져 놓여 있음을 나타내는 낱말은 '쌓여'로 써야 합니다.

119쪽 똑똑한 하루 글쓰기 마무리

굴개굴개 뭐든지 거꾸로 하는 청개구리	엄마 무덤 떠내려갈까 봐 개굴개굴
예 비만 오면 개굴개굴	거꾸로만 하던 것이 후회되어 개굴개굴

○ 이야기의 내용을 짧고 운율이 있는 말로 바꾸어 시를 완성해 봅니다.

채점 기준

구분	답안 내용	
평가 기준	이야기의 내용을 앞뒤 연과 어울리게 짧고 운율이 있는 말로 바꾸어 썼습니다.	상
	이야기의 내용을 짧고 운율이 있는 말로 바꾸어 썼지만 앞뒤 연과 어울리지 않는 부분이 있습니다.	중
	이야기의 내용을 바꾸어 썼지만 짧고 운율이 있는 말로 바꾸어 쓰지 못하였습니다.	하

5일

121쪽 똑똑한 하루 글쓰기 미리 보기

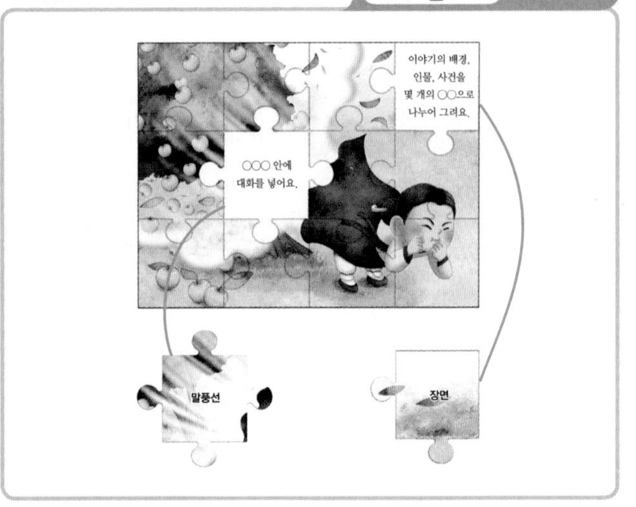

122~123쪽 똑똑한 하루 글쓰기

1

장면 ❷	시아버지가 걱정이 되어 묻자 며느리는 [방][귀]를 못 뀌어서 그렇다고 대답함.
장면 ❸	시아버지가 [괜][찮][으][니] 방귀를 뀌라고 함.

2

1 방귀를 못 뀌어서 얼굴이 노래진 며느리에게 시아버지는 괜찮으니 방귀를 뀌라고 하였습니다.

2 며느리와 시아버지가 어떤 말을 하였을지 써 봅니다.

채점 기준

이야기의 내용과 그림에 맞게 며느리와 시아버지의 말을 말풍선 안에 썼으면 정답으로 합니다.

124쪽 똑똑한 하루 글쓰기 고쳐쓰기

1 [풍][비][박][산]

2 [ ][옛][날][에][V][부][잣][집][으][로][V][시][집][을][V]
[온][V][한][V][며][느][리][가][V][하][루][하][루][V]
[갈][수][록][V][얼][굴][이][V][노][래][졌][어][.]

1 '사방으로 날아 흩어짐.'이라는 뜻의 낱말은 '풍비박산'으로 써야 합니다.

2 '어떤'의 뜻을 나타내는 낱말인 '한'은 뒤에 오는 말과 띄어 써야 합니다. 앞의 말이 나타내는 정도가 심해지면 뒤의 말이 나타내는 내용의 정도도 그에 따라 변함을 나타내는 말인 '-ㄹ수록'은 앞말과 붙여 써야 합니다. 그러므로 '한∨며느리가', '갈수록'으로 띄어쓰기를 고쳐야 합니다.

125쪽 똑똑한 하루 글쓰기 마무리

예

○ 밑줄 그은 부분에 알맞은 그림을 그리고 말풍선 안에 대화 내용을 써 봅니다.

채점 기준

구분	답안 내용	
평가 기준	밑줄 그은 부분에 알맞은 그림과 말풍선 대화로 만화를 완성하였습니다.	상
	그림과 말풍선 대화로 만화를 완성했지만 밑줄 그은 부분과 맞지 않는 부분이 있습니다.	중
	알맞은 그림을 그리지 못하였습니다.	하

특강

똑똑한 하루 창의·융합·코딩

127쪽

"수 박 겉 핥 기"라더니 동생은 책장만 넘겨 보고 책을 다 읽었다고 말했다.

128쪽

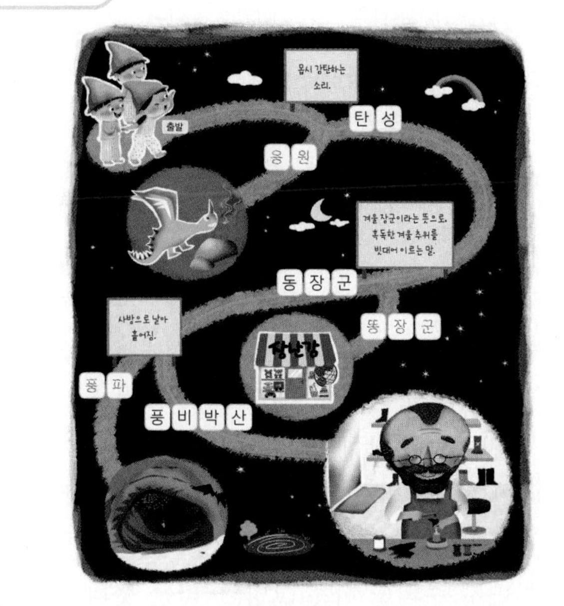

- '몹시 감탄하는 소리.'라는 뜻의 낱말은 '탄성'입니다. '겨울 장군이라는 뜻으로, 혹독한 겨울 추위를 빗대어 이르는 말.'이라는 뜻의 낱말은 '동장군'입니다. '사방으로 날아 흩어짐.'이라는 뜻의 낱말은 '풍비박산'입니다.

왜 틀렸을까?

- **응원**: 운동 경기 따위에서, 선수들이 힘을 낼 수 있도록 도와주는 일.
- **똥장군**: 똥을 담아 나르는 오지나 나무로 된 그릇.
- **풍파**: 세찬 바람과 험한 물결을 아울러 이르는 말.

129쪽

매미는 ((수컷), 암컷)만 소리를 낼 수 있어요.

- 매미의 암컷은 발음근이 발달되어 있지 않고 발음막이 없어서 소리를 낼 수 없다고 하였으므로 매미는 수컷만 소리를 낼 수 있다는 것을 알 수 있습니다.

더 알아보기

동물들이 소리를 내는 방법 알아보기 예

동물	소리를 내는 방법
매미	배에 있는 발음막, 발음근, 공기주머니를 이용하여 소리를 냄.
개, 닭	사람과 같이 성대를 울려 소리를 내지만 다양한 소리를 내지 못함.
물고기	몸속에 있는 부레로 여러 가지 소리를 냄.

130쪽

- → 방향으로 한 칸, ↓ 방향으로 한 칸 이동하는 것을 두 번 반복하여 나온 곳에 ○표를 해 봅니다.

131쪽

- 식: 50 ÷ 2
- 답: 25 필

- 비단이 모두 50필인데 절반을 나누어 준다고 하였으므로 '50÷2=25'와 같이 계산할 수 있습니다.

평가 **누구나 100점** 테스트

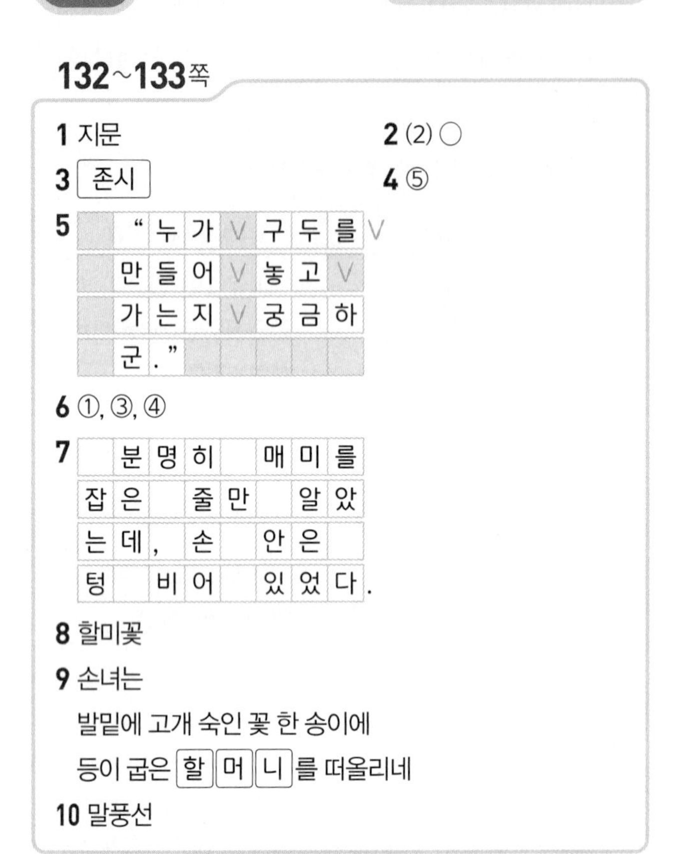

132~133쪽

1 지문　　2 (2) ○

3 존시　　4 ⑤

5

	“ 누	가	V	구	두	를	V
	만	들	어	V	놓	고	V
	가	는	지	V	궁	금	하
	군	. ”					

6 ①, ③, ④

7

	분	명	히		매	미	를
잡	은		줄	만		알	았
는	데	,	손		안	은	
텅		비	어		있	었	다 .

8 할미꽃

9 손녀는
발밑에 고개 숙인 꽃 한 송이에
등이 굽은 할 머 니 를 떠올리네

10 말풍선

1 이야기를 희곡으로 바꾸어 쓸 때에 인물의 표정이나 몸짓에 대한 묘사는 괄호 안에 지문으로 나타냅니다.

더 알아보기

희곡과 이야기의 차이점

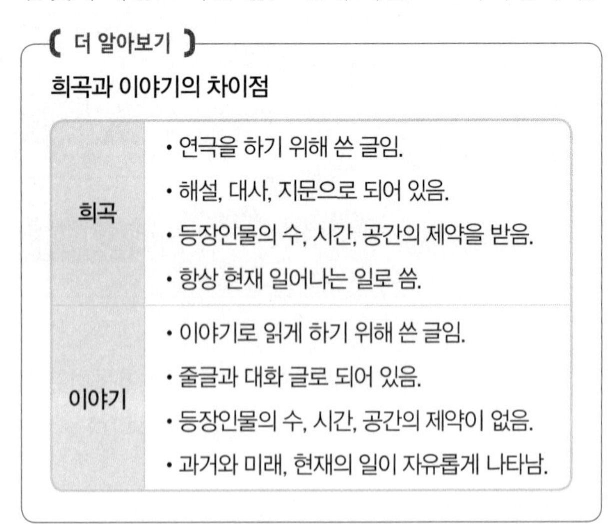

구분	내용
희곡	• 연극을 하기 위해 쓴 글임. • 해설, 대사, 지문으로 되어 있음. • 등장인물의 수, 시간, 공간의 제약을 받음. • 항상 현재 일어나는 일로 씀.
이야기	• 이야기로 읽게 하기 위해 쓴 글임. • 줄글과 대화 글로 되어 있음. • 등장인물의 수, 시간, 공간의 제약이 없음. • 과거와 미래, 현재의 일이 자유롭게 나타남.

2 ‘수’는 앞말과 띄어 써야 하고 ‘밖에’는 앞말과 붙여 써야 합니다.

3 인물 간의 대화는 인물 이름을 쓴 다음 인물이 직접 한 말을 쓰는 대사로 나타낼 수 있습니다. ㉡은 존시가 수에게 한 말이므로 빈칸에는 ‘존시’라는 이름을 써야 합니다.

4 문 뒤에서 구둣방 안을 엿보며 하는 대사에 어울리는 지문은 ‘나지막한 목소리로’입니다.

5 희곡을 이야기로 바꾸어 쓸 때에 인물이 직접 한 말이 나타난 대사는 큰따옴표 안에 인물의 말을 써서 나타낼 수 있습니다. 따라서 빈칸에는 큰따옴표가 들어가야 합니다.

더 알아보기

원고지에 문장 부호를 쓰는 방법

- 마침표와 따옴표를 같이 쓸 때에는 한 칸에 씁니다.
- 물음표와 느낌표를 따옴표와 같이 쓸 때에는 물음표와 느낌표를 한 칸에 쓰고 따옴표를 그다음 칸에 씁니다.

6 ‘살금살금’은 ‘남이 알아차리지 못하도록 눈치를 살펴 가면서 살며시 행동하는 모양.’이라는 뜻의 낱말입니다. 따라서 ‘아주 조용하고 조심스럽게.’라는 뜻의 ‘가만가만’, ‘남이 알아차리지 못하도록 눈치를 살펴 가면서 슬며시 행동하는 모양.’이라는 뜻의 ‘슬금슬금’, ‘잘못이나 실수를 하지 않도록 말이나 행동 등에 매우 주의를 하는 모양.’이라는 뜻의 ‘조심조심’과 바꾸어 써도 시의 내용이 변하지 않습니다.

왜 틀렸을까?

- **뚜벅뚜벅**: 발자국 소리를 매우 분명하게 내며 계속 걸어가는 소리. 또는 그 모양.
- **쿵쾅쿵쾅**: 발로 바닥을 연달아 구를 때 나는 소리.

7 3연의 내용으로 보아 매미를 잡지 못했음을 짐작할 수 있습니다.

8 옥이는 할미꽃을 보고 등이 굽은 할머니를 떠올렸다고 하였습니다.

9 이야기의 내용으로 보아 빈칸에 들어갈 말은 ‘할머니’입니다.

10 이야기를 만화로 바꾸어 쓸 때에는 이야기의 배경, 인물, 사건을 몇 개의 장면으로 나누어 그린 다음, 말풍선 안에 대화를 넣어 표현해야 합니다.

136~137쪽 4주에는 무엇을 공부할까? ❷

1-1 학급문집　1-2 학급 문집
2-1 (4) ×　2-2 아쉬움, 덕담

1-1 학급에서 학생들이 쓴 시나 글을 엮어서 만든 책을 학급 문집이라고 합니다.

1-2 기찬이가 말한 '우리 반 친구들이 쓴 시나 글을 엮어서' 만드는 책은 학급 문집입니다.

2-1 한 학년을 같이 보낸 친구에게 편지를 쓸 때에는 헤어지는 아쉬움, 미래에 대한 덕담, 친구에게 미처 전하지 못했던 마음 등을 씁니다.

2-2 '아쉽다'는 헤어지게 된 아쉬움을 나타낸 표현이고, '너는 ~ 있을 거야', '네가 ~ 바랄게'는 미래에 대한 덕담입니다.

1일

139쪽 똑똑한 하루 글쓰기 미리 보기

140~141쪽 똑똑한 하루 글쓰기

1 반 친구들과 함께 전국 합창 대회에 나간 일이 가장 기억에 남는다.
2 비록 상을 받지는 못했지만 함께 모여 연습하며 친구들과 소중한 추억을 만들 수 있어서 전혀 섭섭하지 않았다.
3 또다시 한 학년이 끝난다고 생각하니 아쉬움과 함께 친구들과 함께했던 즐거웠던 추억이 떠오른다. 그중에서도 반 친구들과 함께 ❶ 예 전국 합창 대회에 나간 일이 가장 기억에 남는다. 비록 상을 받지는 못했지만 ❷ 예 함께 모여 연습하며 친구들과 소중한 추억을 만들 수 있어서 전혀 섭섭하지 않았다. 앞으로도 이 소중한 추억을 영원히 간직하고 싶다.

1 아이들이 전국 합창 대회에 나가 무대에서 노래를 하고 있는 모습입니다.

2 상을 받지는 못했지만 친구들과 소중한 추억을 만들 수 있어서 전혀 섭섭하지 않았다는 내용을 씁니다.

3 1, 2의 내용으로 민우가 한 학년 동안 가장 기억에 남는 일과 그 일에 대한 생각이나 느낌이 잘 드러나게 씁니다.

채점 기준

가장 기억에 남는 일과 그 일에 대한 생각이나 느낌이 잘 드러나게 썼으면 정답입니다.

142쪽 똑똑한 하루 글쓰기 고쳐쓰기

1 (1) 맑은　(2) 잊지
2 나는 ∨ 내 ∨ 동생과 ∨ 전혀 ∨ 닮지 ∨ 않았다.

1 (1) '맑은'은 읽을 때에는 [말근]으로 소리 나지만, 쓸 때에는 '맑은'으로 씁니다.
(2) '있다'는 '존재하는 상태이다.'라는 뜻이고, '잊다'는 '기억해 내지 못하다.'라는 뜻입니다.

2 '전혀'는 부정을 나타내는 말과 어울려 쓰이며 '도무지.', '완전히.'의 뜻을 나타냅니다. '닮았다'를 '전혀'와 어울리게 '~지 않았다'를 이용하여 부정을 나타내는 말로 고치면 '닮지 않았다'가 됩니다.

더 알아보기

부정을 나타내기 위해 사용하는 말에는 '-않다', '-못하다.', '-말다.' 등이 있습니다. 주로 '-지'와 어울려 '-지 않다.', '-지 못하다.', '-지 말다.'의 꼴로 쓰입니다.

143쪽

똑똑한 하루 글쓰기 마무리

벌써 한 학년이 끝나 간다. 친구들을 처음 만난 것이 엊그제 같은데 벌써 헤어질 시간이 다가온다니 정말 아쉽다.

한 학년 동안 있었던 일들 중 가장 기억에 남는 일은 운동회 날의 이어달리기 중에 있었던 일이다. 내가 일 등으로 달리던 우리 반의 마지막 주자였는데 그만 넘어져서 꼴찌를 하고 말았다. 하지만 친구들은 "괜찮아! 괜찮아!"를 외치며 응원해 주었다. ❶ 나는 고마움과 미안함이 뒤섞여 눈물이 날 것 같았다. 일 년이 그리 긴 시간은 아니었지만 좋은 친구들과 함께하면서 ❷ 나도 더욱 성장하는 한 해가 되어서 뿌듯하다.

- 기억에 남는 일에 어울리는 생각과 느낌을 찾고, 한 해를 지내면서 어떤 생각이 들었는지도 찾아 씁니다.

채점 기준

구분	답안 내용	
평가 기준	기억에 남는 일에 어울리는 생각과 느낌을 쓰고, 친구들과 한 해를 지내면서 든 생각이 잘 드러나게 썼습니다.	상
	❶과 ❷에 모두 알맞은 내용을 썼지만 맞춤법이나 띄어쓰기에 틀린 부분이 있습니다.	중
	❶과 ❷ 중 한 곳에만 알맞은 내용을 썼습니다.	하

2일

145쪽

똑똑한 하루 글쓰기 미리 보기

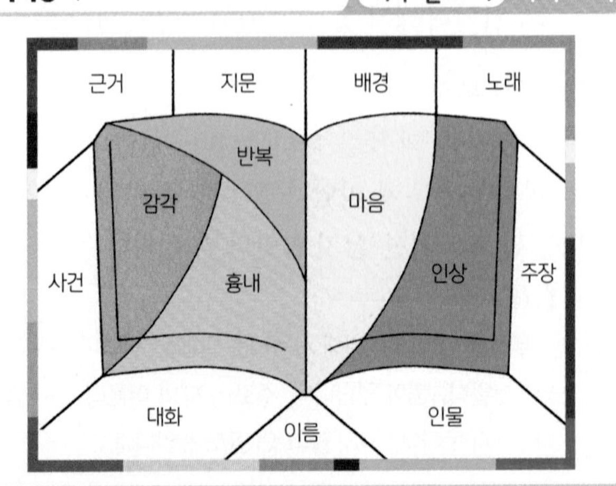

146~147쪽

똑똑한 하루 글쓰기

1 한 학년 동안 가장 인상 깊었던 일은 모둠 친구들과 [인][절][미] 만들기를 한 일이다.

2

인절미

뭉게뭉게
뽀얗게 찐 찹쌀로
떡을 만든다

순우는
[쿵][덕][쿵][덕] 쿵 쿵
찹쌀을 찧고

지우는
요리조리
모양을 잡고

정국이가
[숭][덩][숭][덩]
썰어 주면

나는
[조][물][조][물]
노오란 콩고물을 묻힌다

보드라운 인절미
입에 넣고
오물오물 씹어 주면

폭신폭신
쪼올깃쪼올깃
고소한 맛이

[하][늘][을] [나][는]
기분!

1 남자아이는 모둠 친구들과 함께 인절미 만들기를 한 일이 가장 인상 깊었다고 하였습니다.

2 각각의 상황에 알맞은 흉내 내는 말을 찾고, 마지막 연에는 폭신폭신하고 쫄깃쫄깃한 인절미를 먹었을 때의 생각이나 느낌을 떠올려 봅니다.

채점 기준

각각의 상황에 어울리는 흉내 내는 말과 그때의 생각이나 느낌을 알맞게 찾아 썼으면 정답입니다.

148쪽

똑똑한 하루 글쓰기 고쳐쓰기

1 콩고물을 골고루 [묻][혀][야] 맛있어.

2

	인	절	미	를	V	만	들	려	면	V	여	러	V
과	정	을	V	거	쳐	야	V	하	는	데	,		우	리
모	둠	은	V	과	정	별	로	V	역	할	을	V	나
누	어	V	맡	았	다	.							

1 '묻혀야'는 읽을 때 [무처야]로 소리 나지만 쓸 때에는 '묻혀야'로 써야 합니다.

더 알아보기

받침 'ㄷ'이 '히'와 만나면 'ㅌ'이 아닌 'ㅊ'으로 소리 납니다. '묻혀야'는 '묻히어야'가 줄어든 것이므로 'ㄷ' 받침이 'ㅊ'으로 소리 나는 것입니다.

2 '만드려면'은 '만들려면'으로, '역활'은 '역할'로 고쳐 써야 합니다. '만들려면'의 기본형은 '만들다'로 '만들-'에 '-려면'이 붙을 때에는 받침 'ㄹ'이 없어지지 않습니다.

149쪽

똑똑한 하루 글쓰기 마무리

이민호

웬 녀석이
전학을 왔다.

머리는 삐쭉빼쭉
예 눈알은 부리부리
코가 오뚝
날카로운 입매

꽤 멋진걸
나만큼이나.

그 녀석의 이름은
이. 민. 호.

○ 시로 표현할 때의 특징을 생각하며 전학 온 친구에 대한 내용을 실감 나고 재미있게 표현해 봅니다.

채점 기준

구분	답안 내용	
평가 기준	전학 온 친구에 대한 내용을 시의 특징을 살려 잘 표현하였습니다.	상
	전학 온 친구에 대한 내용을 시로 표현하였지만 시의 재미가 잘 느껴지지 않습니다.	중
	전학 온 친구에 대한 내용이 시에 잘 표현되지 않았습니다.	하

3일

151쪽

똑똑한 하루 글쓰기 미리 보기

❶ 어 떻 게
❷ 인 터 뷰
❸ 사 진

152~153쪽

똑똑한 하루 글쓰기

1 우리 반은 20○○년 10월 14일에 강화도의 고구마 농장에서 '고 구 마 수확하기' 현장 체험학습을 하였다.

2 (1) 우리가 즐겨 먹고 몸에도 좋은 고구마가 어 떻 게 열 려 있 는 지 살펴보기 위해 이루어졌다.
(2) 미리 고구마 줄기가 제거된 밭에서 우리가 직 접 고 구 마 를 캐 는 방법으로 진행되었다.

3 우리 반은 20○○년 10월 14일에 강화도의 고구마 농장에서 ❶ 예 '고구마 수확하기' 현장 체험학습을 하였다. 이번 체험학습은 우리가 즐겨 먹고 몸에도 좋은 고구마가 ❷ 예 어떻게 열려 있는지 살펴보기 위해 이루어졌다. 현장 체험학습은 ❸ 예 미리 고구마 줄기가 제거된 밭에서 우리가 직접 고구마를 캐는 방법으로 진행되었다.

1 아이들은 '고구마 수확하기' 현장 체험학습장에 나와 있습니다.

2 (1)에는 현장 체험학습을 하게 된 까닭을 찾아 쓰고, (2)에는 현장 체험학습이 어떤 순서나 방법으로 진행되었는지 찾아 씁니다.

3 '무엇을', '왜', '어떻게'에 해당하는 내용을 찾아 알맞은 곳에 넣어 기사를 완성해 봅니다.

채점 기준

'무엇을', '왜', '어떻게'의 내용을 알맞은 곳에 바르게 골라 써넣어 기사를 완성하였으면 정답입니다.

154쪽

똑똑한 하루 글쓰기 고쳐쓰기

1 고구마를 맛있게 구 워 먹었다.

2 고구마를∨캘∨때에는∨먼저∨땅∨위의∨줄기를∨제거하고∨땅속의∨고구마를∨캐는∨거예요.

1 고구마를 불에 익혀 먹은 것이므로 '불에 익히다.'의 뜻을 가진 '굽다'에서 알맞은 낱말을 찾아 써야 합니다.

왜 틀렸을까?

'불에 익히다.'의 뜻을 가진 '굽다'의 'ㅂ'은 모음으로 시작되는 말 앞에서 '우'로 변합니다.

예 구워, 구우니, 구워서

2 '땅 위'는 하나의 낱말이 아니므로 띄어 쓰고, '땅속'은 하나의 낱말이므로 붙여 써야 합니다.

155쪽

똑똑한 하루 글쓰기 마무리

우리 반은 20○○년 9월 11일에 '❶ 예 천재 재활용 센터'로 현장 체험학습을 갔다. 이번 체험학습은 지구 환경을 지키기 위해 우리의 노력이 꼭 필요하다는 깨달음을 얻기 위한 활동이다. 현장 체험학습은 ❷ 예 재활용품 분리 과정, 재활용품 세척 과정, 올바른 분리배출 방법을 배우는 방식으로 진행되었다. 현장 체험학습에 참가하였던 정유미 학생은 소감을 묻는 질문에 "❸ 예 평소에 제대로 알지 못했던 분리배출 방법을 알게 되어서 좋았어요."라고 대답하였다.

○ '어디에서', '어떻게'에 해당하는 내용과 인터뷰 내용을 정리하여 씁니다.

채점 기준

구분	답안 내용	
평가 기준	세 가지 내용을 기사의 내용에 알맞게 써넣었습니다.	상
	두 가지 내용만 기사의 내용에 알맞게 써넣었습니다.	중
	한 가지 내용만 기사의 내용에 알맞게 써넣었습니다.	하

4일

157쪽

똑똑한 하루 글쓰기 미리 보기

 – 마음,  – 아쉬움,

 – 덕담

158~159쪽

똑똑한 하루 글쓰기

1 너희가 글쓰기 공부를 열심히 도와주어서 정말 고마워.

2 너희들도 너희들이 세운 목표를 반드시 이루기를 바라.

3 달래, 기찬이에게

달래야, 기찬아, 안녕? 나 밤톨이야. 지난 일 년 동안 내가 장난을 많이 쳐서 속상할 때가 많았지? 그런데도 ❶ 예 너희가 글쓰기 공부를 열심히 도와주어서 정말 고마워. 너희 덕분에 뛰어난 글쓰기 실력을 갖추겠다는 목표에 더 가까워진 것 같아. 너희들도 ❷ 예 너희들이 세운 목표를 반드시 이루기를 바라.

우리 남은 기간도 잘 마무리하자. 그럼 안녕.

20○○년 12월 10일

밤톨 씀

1 밤톨이는 친구들이 글쓰기 공부를 도와주어서 고마운 마음을 가지고 있습니다.

2 친구에게 편지를 쓸 때에는 미래에 대한 덕담을 전할 수도 있습니다. 친구들도 목표를 이루기를 바란다는 덕담을 찾아 씁니다.

3 1, 2의 내용을 넣어 밤톨이가 달래와 기찬이에게 전하고 싶은 마음이 잘 드러나도록 편지 내용을 완성합니다.

채점 기준

달래와 기찬이에게 고마운 마음, 달래와 기찬이가 자신들의 목표를 이루기를 바라는 덕담을 써넣어 편지를 완성하였으면 정답입니다.

160쪽

똑똑한 하루 글쓰기 고쳐쓰기

1 너희가 귀찮아하지 않고 글쓰기 공부를 열심히 도와주어서 내 글쓰기 실력도 많이 늘었어.

2 그런데∨웬일로∨밤톨이답지∨않게∨장난을∨안∨치네.

1 듣는 이가 친구나 아랫사람들일 때, 그 사람들을 가리키는 말은 '너희'입니다. '귀찮아하지'는 읽을 때에는 '[귀차나하지]'로 소리 나지만 쓸 때에는 '귀찮아하지'로 써야 합니다.

2 '웬일'은 '어찌 된 일.'이라는 뜻의 하나의 낱말이므로 붙여 씁니다. '-답지'는 앞 낱말에 붙여 써서 '어떤 성질이나 특성이 있음.'의 뜻을 더하여 주는 말이므로 '밤톨이답지'처럼 붙여 씁니다.

더 알아보기

어떤 낱말의 뒤에 붙어 뜻을 더하여 주는 말에는 '선생님'의 '-님', '먹보'의 '-보', '지우개'의 '-개', '먹히다'의 '-히-' 등이 있습니다.

161쪽

똑똑한 하루 글쓰기 마무리

연경이에게

연경아, 안녕? 나 희선이야. 우리가 같은 반이 되어 어색하게 인사했던 게 엊그제 같은데 ❶ 벌써 헤어질 때가 다 되어 가니 아쉽고 서운하다.

나는 덤벙대는 성격이어서 이런저런 실수를 많이 했는데, 일 년 동안 ❷ 네가 잘 챙겨 주고 도와주어서 정말 고마웠어. 특히 내가 팔을 다쳐서 글씨를 쓰지 못했을 때 네가 수업 시간에 선생님 말씀을 적은 것을 정리해서 내게 주었잖아. 그동안 쑥스러워서 잘 표현하지 못했지만 ❸ 이렇게 편지로 고마운 마음을 전할게.

남은 기간 동안 더 잘 지내고, 학년이 바뀌더라도 우리의 우정은 변치 말도록 하자. 어디서든지 네가 행복하기를 바랄게.

20○○년 12월 10일

희선이가

○ 친구와 헤어지는 아쉬움, 친구에게 미처 전하지 못했던 마음을 넣어 연경이에게 쓰는 편지를 완성해 봅니다.

채점 기준

구분	답안 내용	
평가 기준	❶~❸에 모두 알맞은 내용을 썼습니다.	상
	❶~❸ 중 두 가지만 알맞은 내용을 썼습니다.	중
	❶~❸ 중 한 가지만 알맞은 내용을 썼습니다.	하

5일

163쪽

똑똑한 하루 글쓰기 미리 보기

164~165쪽

똑똑한 하루 글쓰기

1 마지막 환자를 진료하고 나오니 해가 저물고 있었다. 의사로서 환자를 돌보는 일은 힘들지만 무척 뿌듯하다.

2 (1) 친구를 잘 도와주던 진우는 늠름한 소방관이 되었고, 춤을 아주 잘 추던 서연이는 유명한 안무가가 되었다.

(2) 때때로 다투기도 하고 깔깔거리며 함께 놀던 우리 반 친구들이 자신의 꿈을 이룬 모습을 보니 뿌듯하고 자랑스럽다.

3 마지막 환자를 진료하고 나오니 해가 저물고 있었다. ❶ 예 의사로서 환자를 돌보는 일은 힘들지만 무척 뿌듯하다. 저녁에는 최근에 연락이 닿은 진우와 서연이를 만났다. 옛날부터 친구를 잘 도와주던 진우는 늠름한 소방관이 되었고, 춤을 아주 잘 추던 ❷ 예 서연이는 유명한 안무가가 되었다. ❸ 예 때때로 다투기도 하도 깔깔거리며 함께 놀던 우리 반 친구들이 자신의 꿈을 이룬 모습을 보니 뿌듯하고 자랑스럽다.

1 의사가 환자를 진료하는 그림으로 보아 정민이는 미래에 의사가 되었을 것입니다.

2 미래에 친구들은 어떠한 모습일지, 정민이가 추억하는 우리 반의 모습은 어떠할지 찾아 씁니다.

3 정민이와 친구들의 미래 모습, 정민이가 추억하는 우리 반의 모습을 써넣어 정민이의 미래 일기를 완성해 봅니다.

채점 기준

정민이와 친구들의 미래 모습, 정민이가 기억하는 우리 반의 모습이 잘 드러나게 썼으면 정답입니다.

166쪽

똑똑한 하루 글쓰기 고쳐쓰기

1 (1) 늠름한 (2) 뿌듯하다

2 친구를∨잘∨도와주던∨진우는∨소방관이∨되었고, 춤을∨잘∨추던∨서연이는∨유명한∨안무가가∨되었다.

1 (1) '늠름한'은 읽을 때에는 [늠늠한]으로 소리 나지만 쓸 때에는 '늠름한'으로 씁니다. 글자의 모양과 소리가 다른 것에 주의합니다.

더 알아보기

'늠름하다'는 원래 '름름하다'였지만 낱말의 처음 나는 소리 'ㄹ'이 일부 모음자 앞에서 'ㄴ'으로 변하는 규칙 때문에 '늠름하다'가 되었습니다.

(2) '뿌듯하다'는 '기쁨이나 감격이 가득 차서 벅차다.'라는 뜻의 낱말입니다. 'ㄷ' 받침이 아니라 'ㅅ' 받침을 쓰는 것에 주의합니다.

왜 틀렸을까?

'뿌듯하다'를 읽을 때 [뿌드타다]로 소리 나는 까닭은 받침 'ㅅ'의 소리가 먼저 'ㄷ'으로 변하여 [뿌듣하다] → [뿌드타다]의 과정으로 바뀌기 때문입니다.

2 성질이나 상태, 움직임을 나타내는 말에 붙여 쓰는 '-는'은 그것이 현재 일어남을 나타내고, '-던'은 과거에 있었던 일을 나타냅니다.

167쪽

똑똑한 하루 글쓰기 마무리

예 2045년 12월 10일 일요일 날씨: 하루 종일 비

제목: 20년 전으로 돌아간 하루

내가 운영하는 식당에서 20년 전 우리 반 친구들과 선생님이 다시 모였다. 친구들과 선생님을 위해서 특별히 신선한 재료로 음식을 만들었다. 선생님의 흰머리는 많이 늘었지만 입가의 밝은 미소는 여전히 우리 마음을 편하게 해 주었다. 꽃꽂이 전문가가 된 효진이는 멋진 꽃다발로 모임을 더욱 환하게 빛내 주었고, 영화 감독이 된 현아는 우리의 어릴 적 모습을 재미있는 동영상으로 만들어 보여 주었다. 동영상이 끝나자 모두 크게 웃음을 터뜨렸다. 오늘은 마치 20년 전 웃음이 끊이지 않던 우리 반 교실로 돌아간 것 같은 하루였다.

- 나와 친구들의 미래 모습, 내가 추억하는 우리 반의 모습 등을 일기 형식으로 재미있게 표현해 봅니다. 일기의 형식으로 쓸 때에는 날짜와 요일, 날씨, 제목을 꼭 쓰도록 합니다.

채점 기준

구분	답안 내용	
평가 기준	자신과 친구들의 미래 모습, 자신이 추억하는 우리 반의 모습 등을 일기 형식으로 잘 표현하였습니다.	상
	미래의 모습을 일기 형식으로 표현하였지만 문장이나 표현이 자연스럽지 않은 부분이 있습니다.	중
	미래의 모습을 잘 표현하지 못하였거나 일기의 형식으로 쓰지 못하였습니다.	하

특강 똑똑한 하루 창의·융합·코딩

169쪽

아이고, 이걸 왜 틀렸지? "두부 먹다 이 빠진다"더니…….

170쪽

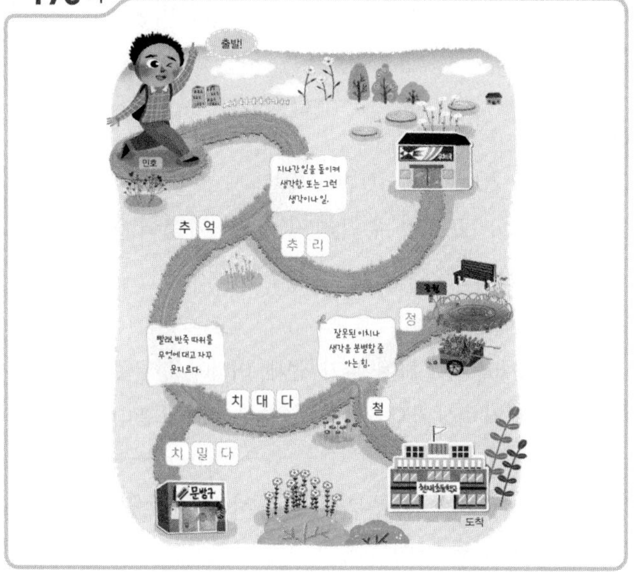

'지나간 일을 돌이켜 생각함. 또는 그런 생각이나 일.'을 뜻하는 낱말은 '추억', '빨래, 반죽 따위를 무엇에 대고 자꾸 문지르다.'를 뜻하는 낱말은 '치대다', '잘못된 이치나 생각을 분별할 줄 아는 힘.'을 뜻하는 낱말은 '철'입니다. '추리'는 '알고 있는 것을 바탕으로 알지 못하는 것을 미루어서 생각함.', '치밀다'는 '아래에서 위로 힘차게 솟아오르다.', '정'은 '느끼어 일어나는 마음.'을 뜻하는 낱말입니다.

171쪽

찹쌀에 [소][금]으로 간하기 → 불린 찹쌀 찌기 → 쪄 낸 찹쌀 찧어 [치][대][기] → 치댄 떡 모양 잡기 → 일정한 크기로 썰기 → [콩][고][물] 묻히기

코딩 명령을 따라가면 인절미를 만드는 순서를 알 수 있습니다.

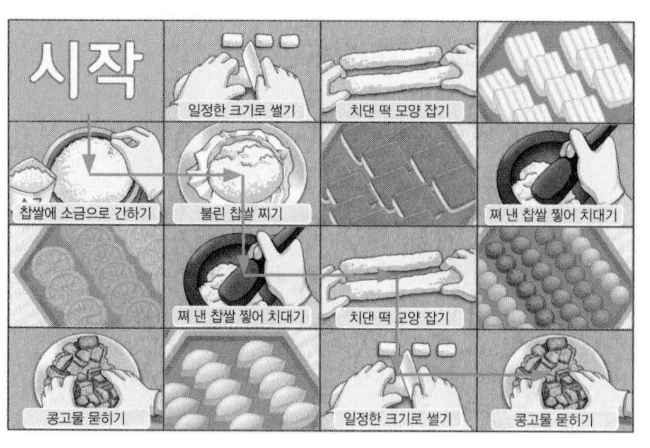

172쪽

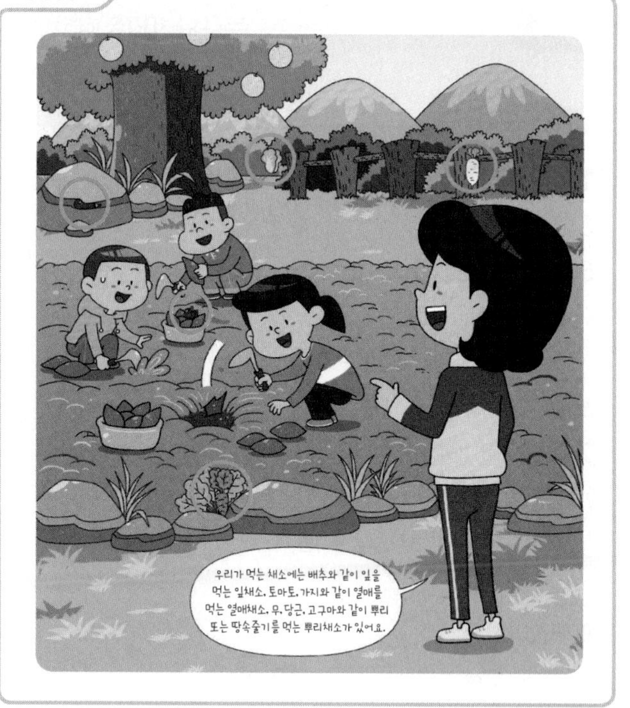

배추는 잎채소, 토마토와 가지는 열매채소, 무와 당근, 친구들이 캐고 있는 고구마는 뿌리채소입니다. 선생님의 설명을 읽고, 숨은 그림을 찾으며 우리가 먹는 채소의 종류를 알아봅니다.

173쪽

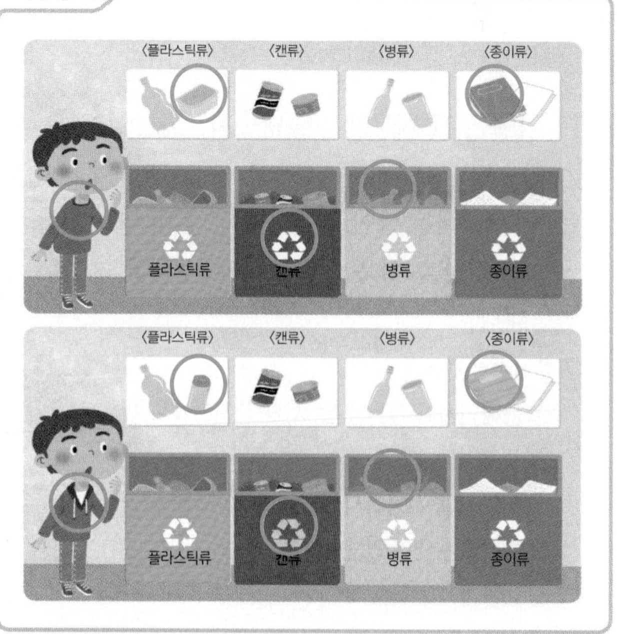

분리배출을 바르게 해야 재활용하는 데 도움이 됩니다. 그림에서 다른 부분을 찾아 보며 올바른 분리배출 방법도 알아봅니다.

평가 누구나 100점 테스트

174~175쪽

1 학급 문집　　2 전국 합창 대회
3 (3) ○　　4 ④
5 보드라운 인절미
입에 넣고
오 물 오 물 씹어 주면
6 ③
7

	너	희	가	V	글	쓰	기	V
공	부	를	V	열	심	히	V	
도	와	주	어	서	V	정	말	V
고	마	워	.					

8 귀찮아하지
9 (1) ③ (2) ① (3) ②　　10 ②, ③

1 학급에서 학생들이 쓴 시나 글을 엮어서 만든 책을 학급 문집이라고 합니다.

2 '그중에서도 반 친구들과 함께 전국 합창 대회에 나간 일이 가장 기억에 남는다.'라고 하였습니다.

3 (1)과 (2)는 있었던 일이고, (3)은 있었던 일에 대한 생각이나 느낌입니다.

4 이 시에는 '뭉게뭉게', '쿵덕쿵덕', '쿵', '요리조리', '숭덩숭덩', '조물조물', '폭신폭신', '쪼올깃쪼올깃' 등의 흉내 내는 말이 쓰였습니다. 흉내 내는 말을 사용하면 대상을 더욱 실감 나고 생생하게 표현할 수 있습니다.

왜 틀렸을까?
① 등장인물이 많은 것은 시가 생생하게 느껴지는 것과 관계없습니다.
② 대화 글을 사용하지 않았습니다.
③ 반복되는 연이 없습니다.
⑤ 사물을 사람처럼 나타내지 않았습니다.

5 '터벅터벅'은 '느릿느릿 힘없는 걸음으로 걸어가는 모양.'을 뜻하는 낱말이고, '오물오물'은 '음식물을 입 안에 넣고 시원스럽지 아니하게 조금씩 자꾸 씹는 모양.'을 뜻하는 낱말입니다. 인절미를 씹는 모양에 어울리는 흉내 내는 말은 '오물오물'입니다.

6
• 누가: 우리 반
• 언제: 20○○년 10월 14일
• 무엇을: '고구마 수확하기' 현장 체험학습
• 어디에서: 강화도의 고구마 농장

더 알아보기
기사에 써야 하는 '누가, 언제, 어디에서, 무엇을, 어떻게, 왜'의 여섯 가지 내용을 '육하원칙'이라고 합니다.

7 친구들이 글쓰기 공부를 열심히 도와주었다면 고마운 마음이 들 것입니다.

8 '귀찮아하지'는 [귀차나하지]로 소리 나지만 '귀찮아하지'로 써야 합니다. 'ㄶ' 받침에 주의합니다.

더 알아보기
'귀찮다'의 받침 'ㄶ'이 'ㄱ, ㄷ, ㅂ, ㅈ' 등과 만날 때 'ㅎ'은 'ㄱ, ㄷ, ㅈ' 등과 합쳐져 'ㅋ, ㅌ, ㅊ'으로 소리 납니다.
예 귀찮고[귀찬코], 귀찮다[귀찬타], 귀찮지[귀찬치]

9 '나'는 의사가 되었고, 친구를 잘 도와주던 진우는 늠름한 소방관이 되었고, 춤을 잘 추던 서연이는 유명한 안무가가 되었다고 하였습니다.

10 '나'는 우리 반의 모습을 '때때로 다투기도 하고 깔깔거리며 함께 놀던 우리 반 친구들'이라고 추억하였습니다.

편지 쓰기

기억에 남는 일을 일기로 남겨 봐요.

즐겁고 행복했던 일

날짜: 　　　　　　날씨:

제목:

슬프고 속상했던 일

날짜: 　　　　　　날씨:

제목: